MEXICANOS AL GRITO DE GÜEVA

MEXICANOS AL GRITO DE GÜEVA

Breve caricatura de nuestra
sociedad

Alejandro Herrera Parra

EDIKO

1a. Edición, Agosto 2006.
© Mexicanos al Grito de Güeva
  Alejandro Herrera Parra.

© 2006, Ediciones Koala S.A. de C.V.
Centeno 79-B Col. Granjaas Esmeralda
09810 México, D.F.
edicioneskoala@yahoo.com.mx

ISBN: 970-791-075-5

Miembro de la Cámara Nacional de la
Industria Editorial No. 3296.

Dirección Editorial: Eduardo Ornelas Salméron
Formación: José Antonio Fragoso Baylón
Diseño de portada: Julio Cervantes Maldonado

Impreso en México-Printed in Mexico.

"A qué le tiras cuando
sueñas mexicano..."

Chava Flores

PRÓLOGO

Mexicanos al grito de Gúeva, es una divertida y breve sátira en la cual se exponen algunos de los personajes más característicos de nuestra compleja y cambiante sociedad.

Desde funcionarios hasta intelectuales, sin pasar por alto a los yuppies o a los organizadores de huelgas, hasta amas de casa enajenadas y burócratas aburridos...

Este es un libro que pretende, con toda sinceridad, divertir a través de viñetas imaginativas y casuales, las cuales en ningún momento pretenden ofender o agredir la dignidad de nuestro Himno, Bandera y valores patrios.

Por el contrario; desea fervientemente destacar nuestro ingenio, humor, desfachatez, creatividad y cinismo ante algunas circunstancias diversas de nuestras vidas.

Hay que allegarse a él con sentido del humor y tratando de encontrar entre sus páginas dosis de ironía, sarcasmo, cierta irreverencia y mucha, mucha hilaridad.

Por que si bien es cierto que pocos nos escapamos de estar descritos de una u otra forma entre estas páginas, el aceptarlo sin mayor alboroto nos permite disfrutar más de la lectura y puntualizar algunas conductas y estereotipos que pueden ser fácilmente erradicados de nuestra conducta individual y colectiva.

Los mexicanos nos caracterizamos, allende nuestras fronteras, por un indiscutible y espontáneo sentido del humor; hagamos derroche de éste para hacer más placenteras estas páginas que con tanto ánimo y entretenimiento escribí para los lectores.

La risa, como la verdad, nos hará libres.

El Autor

INTRODUCCIÓN

La intención de este libro es traer a la luz algunas ideas y consideraciones estereotipadas con relación al multiforme concepto que pretende delimitar, aunque sea de manera aproximada, *lo mexicano, la mexicanidad.*

Repleto de diversos personajes, por momentos inconexos y contradictorios, nuestra nacionalidad es una de las manifestaciones más variadas y complejas que uno pueda encontrar en nuestro contaminado y saturado globo terráqueo.

Desde la sofisticada exquisitez elitista, hasta lo más burdo y rudimentario, nuestra cultura azteca no deja de sorprendernos, alarmarnos y divertirnos en exceso, ya que el humor es una de las características más destacables de nosotros los mexicanos.

Fanáticos, flojos, indisciplinados, ladrones, rastreros, envidiosos, testarudos, groseros, machos, predecibles, infieles, corruptos, ignorantes, borrachos, desaseados, escandalosos, lambiscones, fanfarrones, mentirosos, mojigatos, montoneros, incumplidos, transas, snobs, oportunistas, ladinos, traidores, cobardes, acomplejados, y una larguísima lista de etiquetas que nos tratan de definir desde diferentes ángulos, circunstancias y estilos de vida como unos personajes singulares y extraordinarios. Es obvio que este libro, por su reducida extensión, no puede ni quiso nunca destacar este cuasi infinito abanico de expresiones y conductas extremas, y sólo señala algunos prototipos que no dejan de resultar significativos, representativos y curiosos.

Distinguir, por ejemplo, nuestra marcada y por momentos descarada manera de ser racistas y discriminarnos a nosotros mismos. Ante esto, hacernos la vida literalmente imposible para que ninguno de nosotros sobresalga de los demás, y de esta forma, lograr que permanezcamos todos en una pastosa mediocridad existencial y profesional. Importante cantidad de historiadores, escritores, sociólogos, psicólogos, arqueólogos, antropólogos sociales, ensayistas, poetas, pintores, en fin, toda una amplia gama de personas interesadas al respecto, se han acercado de manera frontal a este marcado racismo, el cual día a día cobra mayor incidencia y significación en nuestro país.

Este libro también habla de la enorme contradicción con la cual convivimos a cada instante sin tener una nacionalidad congruente, plenamente aceptada y por la cual debamos sentirnos orgullosos.

Ante este desafortunado panorama, por un lado están los güeritos y las güeritas *"Totalmente Palacio"*, quienes por ningún motivo pretenden relacionarse con esa inmensa mayoría de connacionales morenos supuestamente inferiores y menospreciados, a quienes lingüísticamente han etiquetado nacos con toda la carga peyorativa que el término pretende implicar.

En medio de estas dos polarizadas e inconexas clases, la media, que representa un híbrido amorfo y anhelante, se sacude inquietamente deseando y aspirando siempre mejores condiciones de vida.

10

Existen verdaderos abismos entre nuestras clases sociales y no parece que la cuestión llegue a arreglarse pronto. Algunos pensadores señalan y trazan hipótesis diversas e interesantes sobre este origen y trauma por el cual la gran cantidad de mexicanos transcurrimos nuestras vidas sin un sentido de identidad nacional. Muchos otros seguirán objetando ensimismadamente que no somos, bajo ninguna circunstancia, racistas. Esgrimirán con gran ahínco que nos llevamos de maravilla entre nosotros mismos y que persistimos siendo esa amabilísima nación reconocida allende nuestras fronteras por su alegría, hospitalidad y bien intencionadas conductas.

En fin...

Mi intención en las páginas que siguen, es la de no ofender a nadie y sólo, de una manera divertida y superficial, exponer rasgos de conducta diversos y familiares.

Mi experiencia en varios trabajos tanto en la aparentemente elitista y vanguardista Iniciativa Privada, así como en la populachera y bullanguera Burocracia, me han permitido el análisis y la divertida experiencia de diferenciar varios personajes que conforman nuestra heterogénea e inconexa sociedad mexicana.

Asimismo he vertido información de decenas de amigos y conocidos que me compartieron sus vivencias y anécdotas con relación a cada una de las conductas que a continuación se señalan. Es casi seguro que después de leer este libro muchos lectores habrán de identificarse directa o indirectamente con algunos de los personajes aludidos y tendrán —*por quedarles a la medida*— que ponerse varios sacos.

Hay que ponérselos sin trabas, sin demasiada importancia y teniendo siempre en cuenta que pueden quitárselos cuando así lo decidan. No faltarán también aquellos recalcitrantes nacionalistas pseudo intelectuales que desearán encontrar en las siguientes líneas hipótesis y resultados objetivos como si estuvieran leyendo un ensayo de antropología social, formal, acartonado y pretensioso.

Nada más alejado de la realidad y de mi sincera y primordial intención. El libro está, aunque algunos no quieran verlo así o reconocerlo, repleto de sarcasmo, humor y sano entretenimiento.

Finalmente, espero disfruten la lectura de este libro *(porque sí puede ser disfrutado)* tanto como yo lo hice al escribirlo y ahora compartirlo.

El Autor

EL BURÓCRATA

Comienzo el libro con este fascinante personaje, ya que su cantidad numérica (la cifra representa la principal fuente de empleados en nuestro país) es realmente significativa.

Pareciera, de forma patética, que todos están cortados con la misma tijera.

Más bien de baja estatura, muy poco cuello, moreno, constitución física gruesa, con demasiada frecuencia rayando en la gordura —*producto de la grasienta, enchilada y masacotuda dieta que a diario lleva a cabo*— con un hereditario pésimo gusto para la moda (*se le contempla portando botas de vestir en colores grises, café claro, beige, azul marino, vino, blancas)*, anchísimas corbatas a la altura del ombligo con estampados complicados y florales que nos remiten más a una colcha o a una cortina y con una muy singular manera de hablar y relacionarse con sus semejantes.

Su lenguaje es florido, en ciertas ocasiones demasiado lógico, pero muy burdo y aberrante. Curiosas expresiones tales como: —*Volvió a repetir, mas sin en cambio, mas sin embargo, más aparte, luego después, ora sí como quien dice, está bien cercas, el Juan, el Pedro, la Carmen, la María, etc., su carro de él, su comadre de mi primo, su hija de mi patrón, su madrina de mi vecina, nadien me dijo, más luego, salió fueras de la ciudad, más noche te llamo, agarra y se enoja, agarra y le digo, vive recerquitas de su casa de él, dice y le digo y luego me dice que dice no y le digo que sí y me dice nada y dice también, ya ni la haces mai, cómo crees compa;* aunado a una inexplicable y fecunda tendencia castiza de ponerle "s" al final de todos los verbos: *Fuistes, trajistes, comprastes, vistes, usastes, escribistes, mentistes...* y así por el estilo.

Otras expresiones tales como: —*Chale, nel, te pasas, te manchas, te rayas, las chelas, el pomo, el vidrio, el frasco, la boa, el chivo (comida), qué onda, qué transa mi buen, qué finanza mi valedor, qué bisne;* y miles de barbarismos que resulta imposible destacar aquí en su totalidad.

De manera grotesca, trata de ser demasiado formal con expresiones tales como: —*Es **bien** importante, está **bien** interesante, está **bien** bonito, esto se **financía** con dinero nuestro, aquello se **diferencía** más, este asunto se **negocía** así; señorita, tráigame los **memorándums** y los **currículums** del personal;* entre otras.

Es muy importante puntualizar que casi instintivamente emite un sonido muy extraño y por demás peculiar antes de cualquier pregunta o respuesta, muy semejante a la salida del aire en un neumático —*sssssshhhh, pus ¿cómo estás?. Sssssshhhh bien, ahí dándole. Psssss qué onda mi buen.* y así hasta el cansancio.

14

En el trabajo es fervorosamente flojo, disperso y busca calquier pretexto para abandonar sus labores y platicar de una vasta cantidad de frivolidades e insignificancias.

Temas como las amantes, la última borrachera, el resultado del partido de fútbol *(y claro está, también los de base ball, fut ball americano y basquet ball, porque se siente inexplicable y orgullosamente identificado con sus vecinos del norte)*, alguna queja sobre la insufrible esposa, un elogio al odiado pero falsamente respetado Jefe y otros tópicos similares.

Su descaro es grandioso y severos comentarios, regaños y críticas pueden debilitar muy poco su intrínseco cinismo. Generalmente trabaja en algo que nada tiene que ver con sus pocas habilidades y estudios, por consiguiente su rendimiento laboral es mediocre e insatisfactorio para él mismo y para sus superiores inmediatos.

Acepta casi cualquier chamba (trabajo) para poder pagar sus innumerables deudas *(el refrigerador, la pulsera de chapa de oro florentino, el reloj empeñado en una cantina, la casa chica, el traje de color pastel, el ineludible televisor a colores con su respectivo DVD, los tenis importados de marca Nike, la chamarra deportiva con el emblema de los vaqueros de Dallas, etc.)*.

Muestra una lealtad incondicional hacia sus jefes inmediatos y supremos, ya que éstos últimos son, en general, del mismo estrato social y cultural, sólo que más hábiles y astutos, por lo cual están mejor situados dentro de los curiosos y rimbombantes organigramas que entre ellos mismos diseñan e implementan.

Es un infatigable *"compadre"* con todos sus amigos y un alegre bebedor Don Juanesco que seduce a las meseras con frases de canciones rancheras y baladas cursis que desde joven memorizó.

En ocasiones llega a sentirse todo un Playboy muy a la usanza de nuestro inolvidable nuestro querido Casanova azteca, Tín-Tán.

Casi siempre se pelea con sus compañeros de mesa por pagar la cuenta de la comida y borracheras de su Jefe, quien les hace a todos el enorme honor y la finísima distinción de acompañarlos religiosamente algunos días entre semana y todos los viernes a las cantinas circunvecinas a la oficina.

En los centros nocturnos (cabarets, table dance, puteros) el burócrata semeja ser más un guarura de su jefe que un supuesto ejecutivo de oficina. En estas noctámbulas circunstancias complace a éste en todos los aspectos y caprichos posibles, hasta llevarlo borracho, sin corbata y descamisado, para depositarlo —*parafraseándolo literalmente*— en su casa de él sin importar la distancia ni la hora.

Este ejemplar burócrata es lo suficientemente ejecutivo e inteligente para saber que todo esto cuenta para la próxima promoción en el siguiente bono anual.

Ahora bien, adora a su madre y a la Virgen de Guadalupe por sobre todas las cosas, personas y seres vivientes, y su esposa, para él, sólo es un remedo incompleto y mediocre de éstas, que le dará hijos y atenciones.

16

Su ingenuidad religiosa es en verdad fascinante, desconociendo en lo absoluto todo lo relacionado con el credo que se jacta de profesar, y que todos los domingos le hace acudir por propia voluntad, a la iglesia del vecindario con su familia para escuchar una homilía que difícilmente entiende y menos aún pone en práctica en su vida diaria.

Como padre puede resultar apapachón, fingidamente estricto.

Eso sí, si uno de sus críos es varón, a la edad indicada *(a partir de los tres años)* lo viste del uniforme de su equipo de fútbol favorito, recibiendo con esto una de las satisfacciones más grandes que la vida y la paternidad le pueden otorgar.

Si es niña, no dejará de adorarla pero decidirá que es asunto y obligación de la esposa educarla y vestirla como más lo crea ella conveniente. Como compañero de trabajo es sinceramente falso, inseguro, intrigante, desconfiado, traicionero y envidioso. Siempre tiene pánico de que alguien le quiera quitar su chamba; de que alguien esté hablando mal de él, reflejo inmediato de su turbia consciencia y deteriorada y diminuta autoestima.

Nunca, nunca, nunca, hace el esfuerzo extra para sobresalir en el trabajo. El éxito le parece una palabra muy semejante a fidelidad, honradez, responsabilidad, disciplina; siempre escuchadas, nunca asimiladas.

Este gallardo personaje es visto con mucha frecuencia durante las mañanas antes de la entrada al trabajo, en esquinas en las cuales se venden tamales, acompañado de la amiga-compañera-amante en turno, invitándole, como todo un galán

17

barroco, una torta de este alimento típico mexicano, con su respectivo y calientito champurrado o atole.

Hace poco me enteré del nombre de este platillo distinguido que representa una de las abstracciones culinarias más sobresalientes de nuestra variada cocina nacional: La Guajolota.

Como se aprecia, el humor forma parte del propio lenguaje. Con frecuencia, también compra tamales para llevar y comérselos en plena mañana encima de su escritorio y en medio de papeles de trabajo y oficios supuestamente importantes.

Manifiesta, desde su tierna infancia, una sincera y definida inclinación hacia los deportes. Sin embargo, su cuidado corporal deja mucho qué desear, ya que come, más bien traga a cualquier hora del día tacos, quesadillas, sopes o algún guiso casero grasoso.

Pero eso sí, en la primera oportunidad que se permite, se disfraza con sus pants, sus tenis, su imprescindible cachucha con la palomita como logo *(otra herencia yanqui adquirida)* y corre con afán durante cinco u ocho minutos ininterrumpidos, lleno de sudor y jadeos.

No tolera más, pero la cuota del día está cumplida con disciplina.

Sabedor de sus variados y abundantes encantos y sobrada virilidad, por lo menos tiene una amante en cada uno de sus trabajos, a quienes, a su manera, las consiente y en ocasiones hasta les hace hijos. A estos críos, por supuesto, nunca les dará su distinguido y aristocrático apellido, como tampoco su sofisticada y exquisita educación. Dicha virilidad, llena de contradicciones, es reafirmada con pulseras en baño de oro que entreteje sobre la correa de su reloj dorado y plata, o cadenas que cuelgan sobre su cuello por fuera de la camisa o playera.

Entre más burdas y doradas mejor.

Este singular personaje acude con excesiva puntualidad y desde la mañana, a los sanitarios durante las horas de trabajo, acompañado siempre de un ejemplar tabloide con la sección de los deportes, para enterarse, a lo largo de quince o veinte minutos, de los últimos resultados, contrataciones, estadísticas, apuestas y comentarios del apasionante y polémico mundo de sus adorados ídolos deportistas.

Nada le preocupa en ese momento.

Todo, muy en especial el trabajo, puede esperar.

Cada año empeña hasta su triste alma para llevar a toda su familia de vacaciones a la playa *(sin haber revisado el automóvil, ni haber apartado lugares de hospedaje)* y tomar él mismo *(se lo merece)*, el añorado sol con zapatos, calcetines y camisa desabrochada de manga corta (en casos ideales playera blanca con curiosos estampados).

Su instinto previsor de boy scout tropicalizado, le permite llevar alimentos a la playa, que su abnegada y afanosa esposa prepara en la cocineta del hotel en el que se hospedan, o que ya lleva preparados desde el lugar de partida en envases de plástico y cazuelas de todos tamaños.

Con lo cual, además de ahorrarse dinero, tiene la oportunidad de saborear la torta o el guiso que más le agrada y evitar sorpresas y enfermedades en fondas sin higiene.

Tiene por convicción tomar prestado *(para toda la vida)* todo aquello que no busca ni necesita pero que la vida le pone enfrente; material de trabajo, papel higiénico, calculadoras, plumas del compañero-vecino, vales de gasolina, vales de restaurantes, azúcar, tazas para el café o el té, periódico, alguna revista, *(nunca un libro)*, facturas en blanco, y casi cualquier objeto que encuentre a su paso.

Es bastante sociable y en las fiestas que siempre improvisa bajo cualquier pretexto, derrocha sus sobradas habilidades de incansable y galante bailarín y cantante.

Es en verdad fascinante verlo bailar, ya que dependiendo de la canción, es la actitud que toma y sublima en una bárbara y rupestre catarsis.

Cuando se trata del ya mexicanísimo género de la cumbia *(originario de nuestra hermana nación colombiana)*, casi ignora por completo a su pareja en una muestra de abierto desprecio e indiferencia, y con el ceño fruncido se desliza con una gracia y formalidad aplastantes.

Pareciera flotar y deslizarse como un cisne sobre las aguas.

En cuanto al *"rock and roll"*, *(casi desde el vientre materno lo baila, ya que representa para él y para toda su honorable familia, uno de los signos distintivos e ineludibles de una buena educación populachera mexicana)* lo domina con enorme aplomo y técnica acrobática.

20

En cuanto a los *"valses"*, manifiesta una singular y evidente torpeza y evidencia la gracia y agilidad de un hipopótamo más bien adormilado. Por desgracia, para él y para los suyos, la música por excelencia, la de nuestro insuperable y casi sacralizado mariachi, por lo general no se baila. Pero sí en cambio, cada vez que la escucha, silba, grita, canta, bebe, se acalora y alborota de una manera exquisitamente primitiva.

Adorados artistas como nuestro inolvidable y carismático ídolo del pueblo Pedro Infante, nuestro elegante, refinado y viril Chente Fernández; su modesto y simpático hijo Alejandro, llamado por su pueblo El Potrillo de México, Javier Solís —*la mejor voz ranchera masculina sin lugar a dudas*— y Lola *"La Grande"*, nuestra Lola Beltrán, son insignes figuras ligadas con sus gustos estéticos que forman parte de su vida diaria. De hecho, muchas de las canciones que interpretan estos singulares y preclaros ídolos, las toma al pie de la letra para su no menos folklórica existencia. Muy en especial las de corte romántico, acompañado, cada vez que se pueda, de tequila, carnitas y hoteles de paso.

Gran conocedor y ferviente creyente de los milagros, de la buena suerte y de los azares del destino, es un jugador empedernido de la lotería, de pronósticos deportivos, del me late y de los innumerables juegos y tandas que en nuestro país prometen enriquecer a millones de personas quienes transcurren sus vidas con la ilusión casi religiosa de que algún día, y por obra y gracia de la suerte y el destino, se hagan millonarios y puedan vivir, ahora sí, felices y sin tener que hacer nada.

Absolutamente nada.

sólo haraganear, comer, beber, fornicar y defecar.

Por último, y con una paciencia inconmensurable y por demás estoica, espera, sin otro remedio, jubilarse después de treinta años de jornadas laborales pavorosamente similares y monótonas, y vivir de manera tranquila con su pensión, su reina-vieja-chaparra-chata *(sinónimos de esposa)*, sus hijos, sus nietos, sus comedias, sus partidos de futbol, sus luchas libres, sus copitas, sus botanas, sus movidas...

Él sabe muy bien que la Virgen de Guadalupe siempre lo cuidará y que estará presente a lo largo de su vida y más allá de ésta, por los siglos de los siglos...

Amén.

LA BURÓCRATA

Muestra semejanzas impresionantes en conductas, creencias y hábitos con respecto a su colega del sexo opuesto, tanto en el trabajo, como en su actitud hacia la vida diaria.

Sin embargo, posee rasgos característicos que la hacen ser un ejemplar muy interesante y peculiar.

Es recalcitrantemente religiosa, ya que entiende el devenir del universo —*su universo y el de sus seres queridos*— sólo a través de los milagros de la Virgen de Guadalupe, o de cualquiera otra santidad reconocida, reverenciada y milagrosa.

Es poseedora, como casi ningún otro ser sobre la tierra, de una asombrosa facilidad para el chisme, la intriga y la envidia.

Esta última facultad la aplica sobre sus colegas del mismo sexo a quienes aborrece con sinceridad. Hábil cocinera y destacada fritanguera, lleva toda clase de alimentos a la oficina y empieza a deglutirlos con ánimo durante buena parte de la mañana, impregnando toda el área de su oficina con diversos aromas culinarios.

Su herramienta de trabajo predilecta es el teléfono. Puede utilizarlo por horas y el trabajo esperar todo el día, toda la semana, todo el mes. Suele aparecer a su oficina con tubos en la cabeza, sin pintura en el rostro y empezarse a embellecer *(cremas, maquillaje, peinado, uñas)* con un cotidiano descaro y siniestra disciplina.

Vendedora innata, promueve gran cantidad de productos entre sus compañeras-manitas, con lo cual se ayuda en su, por lo general, endeudada economía familiar, ya que como el ejemplar varón, también resulta ser una compradora compulsiva de cháncharas inútiles y corrientes.

Tiene su lugar de trabajo *(escritorio)* lleno de ridículos objetos inservibles: macetitas, peluches, fotos de su familia, el primer dibujo de uno de sus hijos, una imagen religiosa *(nuevamente la omnipresente Guadalupana)*, tarjetas postales, dulces, figuritas de porcelana, pero nunca, la fotografía de su marido.

Establece con enorme facilidad y soltura pláticas de escritorio a escritorio sobre tópicos tan relevantes como la papilla del recién nacido, el color del excremento de dicha criatura, el resumen de la comedia de moda, alguna receta de un caldo, de un pipián, de un entomatado o de nuestro complejo mole poblano; alguna queja extrema del ex-marido o del marido actual e invariablemente comentarios tendenciosos sobre alguna compañera odiada del trabajo.

Dependiendo de su edad —*y también de ciertos escasos valores morales*— las más jóvenes y recién maduras se disputan al jefe inmediato *(de preferencia casado)* y promueven sus ascensos laborales en bares y hoteles de paso. Algunas, las menos, llegan a tener más de un vigoroso semental que las promueve gracias a ciertos trabajos especiales, no necesariamente forzosos, pero sí sudorosos.

Pese a lo anterior, es en extremo rigurosa con la educación sentimental de sus hijas y no permite que éstas hagan ningún tipo de cosas indecentes con sus novios, ya que nunca, por ningún motivo, olvida su religiosidad y su teórica moralidad.

También está repleta de comadres, de fiestas patronales, de días por guardar, de mandas, de celebraciones, de cumpleaños y de pretextos para comprobar sus abundantes dotes culinarias que se evidencian en su descuidada y rechoncha anatomía. La semejanza con sus colegas masculinos en cuanto al lenguaje es asombrosa. Sólo habría que destacar que para todo inicio y final de frase utiliza el término manita *(sinónimo de amiga)*.

Puede decirse, entonces, que esta facultad lingüística nacional es unisex.

Mención muy aparte y especial merece el verbo decir, el cual utiliza con una constancia en verdad obsesiva y exasperada. De hecho, para toda oración es utilizado, creando fonéticamente una atmósfera por demás ridícula. A continuación se muestra un simple ejemplo de entre miles de ellos de esta académica y eficiente manera de expresarse y comunicarse con sus semejantes:

— *"No manita agarra y dice que no le gustó dice y le digo que ella tiene le digo la culpa y me dice que le dijo que no sabía nada de nada dice y me dice que todavía lo quiere y*

le digo que sí está bien le digo que lo quiera mucho y lo respete le digo pero ella agarra y me dice que le dijo..." Y así hasta el cansancio. Algo muy semejante con relación a su colega masculino sucede con el vestir: Las flores de múltiples formas y colores semejando selvas tropicales, las estolas plastificadas de diferentes tonos, los zapatos imitación charol, y la vasta joyería de fantasía forman parte de su elegante indumentaria y ajuar.

Mención aparte merecen también los peinados que utiliza para fiestas importantes como quince años, bodas, bautizos y graduaciones.

El problema es que esos chongos y caireles son prácticamente indescriptibles por escrito. Tiene uno que verlos para creerlos. Más o menos, son unos remedos e híbridos entre el Palacio de Versalles y nuestro inconfundible Cerro del Chiquihuite.

La palabra dieta está excluida de su vocabulario, y la filosofía existencial de *"es más importante gozarla y no privarse de nada en esta corta vida"*, que cuidarse y tener un cuerpo sano, le posibilita desarrollar hasta el hartazgo sus heredadas recetas y guisos, los cuales con tanto orgullo transmite de generación en generación como un elemento primordial de educación y eslabón inamovible familiar.

De hecho, más importante que la dote en un matrimonio, resulta el hecho de que la hija o la nuera sepan cocinar con una sazón semejante a la de ella y a la de las difuntas, venerables y siempre sabias abuelas. En el trabajo es de una puntualidad impecable *(únicamente a la hora de la salida)* y cinco minutos antes del término de su jornada ya tiene perfectamente limpio su escritorio para no perder ni regalar un sólo segundo a la empresa. En cuanto a lo sociable y a lo bailadora, muestra abiertas similitudes con su colega masculino.

De la misma filosófica manera que su semejante varón, espera su jubilación para juntar su pensión con la de su gordo-viejo-pelón *(esposo, aunque esté delgado y con cabello)* y vivir en santa paz con sus hijos, nietos, comedias, guisos, fiestas, milagros, gordura, fotografías y recuerdos.

27

LEMA POR EXCELENCIA

¡Como México no hay dos!

Afortunadamente así es.

¡Imagínese otro país como éste!

LA TEMPLANZA, HOSPITALIDAD Y HONRADEZ MEXICANAS
(Experiencia a manera de ejemplo exponencial *cuassi ad infinitum*)

Después de mis casi cuatro años viviendo en la ciudad de Londres, y en otras ciudades de Europa Central *(Salzburgo, Innsbruck, Viena, Venecia, Milán, Roma, Praga, Madrid)*, uno, quiérase o no, aprende o asimila algo sobre diversos tópicos tales como la educación, la urbanidad y la civilidad.

Recuerdo asimismo algunas pláticas acaloradas que sostuve en la sobria ciudad de Londres, con un puñado de mexicanos recalcitrantes que sostenían que la amabilidad de nuestro país era única en el mundo entero.

Que nuestra hospitalidad era evidente y envidiable y que lo bien intencionado de nuestros paisanos era un ejemplo a seguir para cualquier cultura imaginable.

Claro está que la gente que me sostenía estos juicios tenían escasos días de vivir fuera de sus queridos terruños, y que no podían soportar el tormento y la idea de dejar de consumir chiles verdes, música ranchera en la voz de Chente, frijoles y

31

tortillas *(la genial síntesis culinaria que representa el taco)*, así como las reconocidas, casi mundialmente, cervezas mexicanas.

Gente también que no sabía, bien a bien, porqué demonios estaba sufriendo, según ellos, en esa aburrida, fría y húmeda ciudad vieja europea donde siempre llueve, como muy seguido exclamaban con cierta amargura.

Yo les argumentaba sin apasionamiento alguno, que los ingleses eran parcos en su trato pero nunca groseros y que sí, manifiestamente serviciales, respetuosos y educados.

—*Los mexicanos somos más serviciales, honrados y educados, que estos güerejos desabridos* —me comentó una atolondrada amiga mexicana estudiante del idioma inglés que frecuenté en Londres.

Lo dijo con tanta seguridad, aplomo y credibilidad, que en verdad me percaté, por fin y después de tantos años, que millones de mexicanos viven esta atroz mentira con toda la convicción patriotera desarrollada e introyectada desde la infancia.

Sí, porque en realidad la mayoría de los mexicanos se viven y se sienten cordiales, hospitalarios y, colmo de colmos, muy patriotas. Pasaron algunos meses y en uno de mis acostumbrados viajes anuales navideños de la ciudad de Londres a la ciudad de México, me encontré con mi amiga y compartimos, aunque en asientos diferentes y distantes, un viaje inolvidable que estoy seguro, ella todavía no olvida.

El caso es que ahí estábamos, entre las nubes con destino al siempre añorado terruño. En este pintoresco viaje nos tocó toda una delegación deportiva mexicana que participó en no sé qué evento en España, pero que por azares de la línea aérea tuvieron que hacer escala en la capital inglesa.

Ahí teníamos, para franca pena de algunos de nosotros, a cerca de treinta personajes mexicanos pseudo deportistas clasemedieros vestidos de pants, tenis y gorras, quienes conforme el avión consumía millas, ellos cervezas, tequila y champaña.

A las seis horas de vuelo aquello era un verdadero espectáculo: honorables atletas francamente borrachos y exigiendo más bebida, lanzando porras a grito pelado, mentando madres a diestra y siniestra, y tratando de seducir a las azafatas inglesas, quienes los miraban con una sincera y profunda lástima y desprecio.

Cada vez que el capitán pedía compostura desde la cabina a través del sonido del avión, un sonoro y rotundo chiflido generalizado despertaba a algunos pasajeros que pese a todo trataban de dormir y descansar. No faltó el pleito entre ellos mismos y dos sujetos se dieron de manotazos en uno de los pasillos hasta que fueron separados y tranquilizados por sus propios camaradas. En verdad era un espectáculo denigrante que mi propia amiga tachó de naco y tercermundista.

Empecé a reír por dentro, ya que este viaje ilustraría a mi fanática paisana sobre algunos hitos que desde la edad preescolar nos inyectan en las venas y en el cerebro. Algunos de estos insignes deportistas, los más astutos, se robaban las botellitas de bebidas que guardaban con una impresionante pericia en sus chamarras, maletas y prácticamente donde se les ocurría.

No podían faltar los cánticos de cantina de pueblo *(herencia directa de nuestros próceres fílmicos Infante, Negrete, Solís y Fernández),* y algunas de nuestras joyas rancheras —*las cuales tristemente nos identifican a todos los mexicanos por igual allende nuestras fronteras*— fueron entonadas sin ninguna entonación.

Por fin y para alivio de todos los pasajeros extranjeros que empezaban a tener su primer contacto con nuestra cordial cultura —*y por consiguiente una somera idea del país al que aterrizaban*— el avión tocó tierra y se encaminó por una pista angosta y mal iluminada.

Justo cuando el avión depositó sus ruedas sobre el asfalto, los gritos: *!México, México, México!* sonaron con fuerza como si estuviéramos en un partido de fútbol o en una aguerrida lucha libre.

Se festejaba, aún me imagino, que siguiéramos vivos y llegáramos a nuestro añorado terruño contaminado, sanos y salvos.

Una vez dentro del nada cosmopolita Aeropuerto Internacional Benito Juárez, dio inicio otra muestra indiscutible de esa supuesta hospitalidad y amabilidad que ya con menos fuerza y fanatismo sostuviera mi amiga con relación a sus compatriotas. Caminamos por esos largos corredores en los cuales puede haber de todo, menos señalización.

Evidentemente nos perdimos y caminamos de regreso el tramo andado. Por fin localizamos nuestras maletas y equipaje, y esperamos con paciencia para recogerlos y encaminarnos a la salida. Una de las maletas de ella no apareció y empezó a preocuparse seriamente.

Yo me seguía riendo por dentro.

Desesperada, tomó la iniciativa y le preguntó a un personaje que se trepaba encima del equipaje con una habilidad simiesca.

—*Perdone señor, falta una maleta...*

—*¿Y qué quiere que haga? Sígala buscando, por ahí debe andar...*

—*No está, le digo.*

—*Pues busque bien...ha de andar por ahí escondida...*

Después del resultado obtenido, tratamos con un personaje menos indiferente pero el resultado fue el mismo. Como consuelo nos dijo que quizá se había perdido o documentado en otro avión, pero que era muy difícil saberlo con exactitud.

—*¿Con quién puedo hablar? —Preguntó cada vez más molesta mi amiga.*

—*No sé, con quien quiera... —Respondió el personaje sin ningún interés.*

—*¿Dónde está el gerente?*

—*Quién sabe, por ahí anda dándole...*

Exasperada, mi amiga me pidió que la acompañara a buscar ayuda.

Llegamos a los mostradores en los cuales revisan el equipaje.

Dependiendo el color de la luz *(verde o roja)* a uno le revisan o no su equipaje. Esta brillantísima medida de utilizar semáforos es con el fin de controlar el indebido acceso de drogas, bebidas y artículos prohibidos en nuestro país.

Una medida, por cierto, ridícula.

Metros antes de dichos mostradores, aparecen más o menos de pie —*nunca erguidos*— representantes de nuestro heroico y flamante Ejercito Nacional, quienes nos miran como si fuéramos, de antemano, traficantes, criminales o simplemente paisanos repudiados sin ningún motivo aparente.

Cada una de esas miradas es una bienvenida inolvidable a este hospitalario país en el cual, como dice un afamado personaje periodístico femenino: *"Afortunadamente aquí nos tocó vivir"*.

—*¡Avance, avance... camínele...¡* —comentan los gallardos soldados rasos apresurándolo a uno en medio de una gran cantidad de gente nacional y extranjera.

Por fin justo enfrente de los semáforos, uno aprieta el botón y espera la señal.

A mí me tocó roja y a ella verde.

—*Abra sus maletas, por favor...¿Qué lleva dentro?*.
—*Buenas noches, señorita; libros, muchos libros, señorita*.
—*¿Libros... y para qué quiere tantos? ¿A poco los va a leer todos?*.

Es una maravillosa ventaja, en algunas circunstancias, que los libros sean generalmente considerados objetos inútiles y carentes de valor como sucede en nuestro país.

La guapa señorita abrió el cierre de la maleta, se asomó ligeramente y exclamó:

—*Pásele, usted no trae nada de valor... Bienvenido.*

Para esto, mi amiga estaba vociferando con un individuo uniformado en tonos cafés. Hay tantas policías dentro del aeropuerto y todas igual de ineptas, que la verdad me confundo.

Al acercarme me exclamó casi llorando:

—*Dicen que está perdida y que no pueden hacer nada...¿Qué hago? Mi ropa, mis regalos para mi familia, mis compras navideñas de Londres...*

—*Cálmate, simplemente sé bienvenida a tu civilizado país* —Le contesté con una sincera lástima y a la vez enojo por lo que le había sucedido.

Al salir de los mostradores, tomamos la única maldita salida para todos los vuelos internacionales y nos perdimos en el río de personas que como nosotros, trataban en vano de ver a sus familiares, reconocerlos y saludarlos ansiosos del calor de nuestra llegada ansiada.

Terminé empujado y apretujado hasta la calle sin poder darme cuenta si habían venido mis familiares y amigos a recibirme, y cuando menos me lo pienso, estoy rodeado de cinco o seis taxistas que me acosan con sus preguntas, tarifas, y casi me toman las maletas para asegurar su pasaje o para robármelas.

Media hora después pude ver a mis familiares, quienes tampoco se percataron en lo más mínimo de mi llegada, ya que hay que señalar que los monitores que tiene dispuestos este aeropuerto internacional, por lo general destacan información equivocada y con retraso de por lo menos media hora.

Después de algunas pericias y de la mortal espera en el insuficiente estacionamiento, del tráfico insoportable en las avenidas y calles, llegué a casa, aquel lugar emocionalmente identificado como el verdadero hogar, como la única raíz, como el origen de mi propia identidad como mexicano.

Pensé entonces con cierta melancolía literaria del género ciencia-ficción, que el mismo novelista H.G. Wells hubiera envidiado esta aseveración:

Que en doce horas de vuelo uno retrocede inexorablemente un siglo entero y se enfrenta a la barbarie, a otra siniestra Isla del Dr. Moreau.

Nunca más supe de mi amiga, ni de su maleta, ni de su recalcitrante nacionalismo.

LAS SUEGRAS

Si existe un personaje mítico, ponzoñoso, odiado, y al cual se desea evitar a toda costa, son justamente las madres de las esposas y de los esposos, según sea el caso del que se hable.

Esta letal especie *(conocida como suegra)* es la causante de infinidad de estragos y calamidades ocasionados en los matrimonios y en las vidas en familia. Estoy por completo seguro que de inmediato saltarán, independientemente de su estrato social, cultural y religioso; miles y miles de señoras en su propia defensa exclamando airadamente que todo lo anterior es falso, que es una idea generalizada y exagerada que no se sabe de dónde surgió ni porqué se utiliza todavía.

Que ellas, las suegras, no son metiches, intrigantes, chantajistas, alarmistas, teatreras, mitómanas, abusivas, fanáticas, irrespetuosas, melodramáticas... y otros calificativos más que se les adjudican merecidamente a estos, por momentos, controvertidos e insufribles personajes.

Debido a la dificultad para describirlas y clasificarlas según estratos de diversa índole, así como asignarles el lugar y la importancia que merecen, se tratará de destacar los ejemplos más singulares y comunes, por lo menos en nuestra folklórica y heterogénea sociedad mexicana.

LA SUEGRA ADINERADA

Este singular personaje vive realmente en un país de constante fantasía por todo el oropel acartonado que la rodea. Toda su vida transcurre *"a la Disneylandia"*.

Por lo general está divorciada (en ocasiones de un par de matrimonios) debido a que nadie pudo soportarla por mucho tiempo; o en su defecto está casada con un honorable mandilón-pelele que todo le tolera, perdona y complace. Exigente en extremo, a cada momento demanda con exageración que se le trate y consienta como ella cree merecer; como si fuera la dueña del universo entero.

Genéticamente floja *(exceptuando a la nueva rica que se hace haragana casi por moda),* evita cualquier labor física que no sea hacer aerobics, yoga, jugar golf *(casi todos los demás deportes considera que son para nacos)* o simplemente caminar un par de cuadras por su elegante y exclusivo vecindario, acompañada, en ocasiones, de su pequeña y juguetona mascota.

Eso sí, por lo menos una vez a la semana tiene a su manicurista y masajista a domicilio, quien le unta perfumadas cremas y medicinales aceites en un acto para sublimar y ventilar su maltrecha, descuidada y herrumbrada sexualidad.

No se le puede culpar del todo, ya que ella, a su vez, es un producto directo de la educación que recibiera cuando fuera niña.

Este legado educacional se da casi por norma en nuestro acomplejado y pretensioso país.

Resulta ser cuidadosa en extremo con respecto a sus alimentos. Casi por lo general está bajo tremendos regímenes de dieta para mantenerse *"siempre joven y bella"*.

De lo anterior se propician una infinidad de problemas con sus propias hijas, con las cuales en ocasiones compite con descaro por acaparar las miradas de los muchachitos que las frecuentan a diario. Consecuencia de esto, se viste ridículamente como si fuera una inocente jovencita de veinte años, y no evita la ocasión para decir, llena de orgullo y vanidad, que le queda de maravilla toda la ropa de su hija pequeña.

Su modisto(a), sufre con todos sus anacrónicos caprichos, pero tiene que complacerla siempre, ya que se cobra muy caro, sin ella saberlo, estos padecimientos y berrinches.

Colecciona todo tipo de revistas de modas y de decoración de interiores. Sus casas, porque siempre tiene más de una, las tiene impecablemente arregladas y decoradas con extremado buen gusto.

Aunque nunca falta una ridícula mesita llena de fotografías cursis de toda la familia para recordar el rancio abolengo azteca al que pertenece. Por otro lado, asevera quejumbrosa que no existen tiendas ni comercios de calidad en nuestro tercermundista país, y por ello programa viajes al extranjero *(en especial al país vecino del norte)* para realizar, como muy dulcemente exclama, su ansiado shoping.

Si está divorciada es doblemente peligrosa e insufrible.

Ya que quiere manipular por completo la vida de sus hijas solteras, y en casos cada vez más frecuentes, casi meterse literalmente a la cama con los pretendientes de estas chamaquitas plagosas y mustias.

De tienda en tienda, de restorán en restorán, de iglesia en iglesia *(ah, porque hay que señalar que es muy religiosa y agradecida por todos los dones que Dios y la vida le brindan)*, no suelta a sus hijas de su lado para sentirse joven, *"en onda"*, y sobre todo para no imaginarse despojada o abandonada.

La hija soltera, en la gran mayoría de las veces, le sigue el juego al pie de la letra y determina su vida social, su trabajo, escuela y novio en turno, bajo los caprichos de su adorada mami.

La hija casada está más o menos libre de sus garras *(porque en realidad nunca se erradica el problema de su nefasta presencia física o psicológica)* y le da por su lado para no ofenderla y distanciar a las familias.

Es muy curioso ver tríadas por todos lados y a todas horas, con el flamante y mandilón novio en medio de la princesita y de mamá-suegra-reina.

Por supuesto que él financia todos los gastos de los tres.

Está quedando bien y ganando puntos bajo la rigurosa y analítica observancia de la querida futura suegra, a quien él, quiérase o no, también alucina con notoriedad desde este momento.

Pero tiene que aguantarse hasta estar casado, para explotar y tratar de poner en su lugar a su esposa y a su suegra.

Lo que no sabe ni se imagina es que su ingenua esposa de seguro preferirá el amor incondicional de mami, echando por la borda el reciente matrimonio que puede fácilmente disolverse antes del primer semestre.

Si llega a salvarse el matrimonio, el precio resulta demasiado caro: Tendrá que soportar toda la vida la oscura y nefasta presencia de la odiada e inoportuna suegra.

En ambos casos el precio es muy alto.

Lo empalagoso de su voz y de ciertos términos muy específicos de su lenguaje la caracterizan de inmediato. Que bien a bien no significan sino otra franca y ridícula manera de imitar a su hija y tratar de sentirse joven.

Expresiones tales como: —*Para nada, O sea, Qué naco, ¿No?, ¿Me entiendes?, Es un oso el que me hizo tu padre,*

43

No te lo acabas, Está padrísimo, ¿no?, Obviamente, Estás de acuerdo en que, No sé si me entiendas, ¿me entiendes?, Por fas, Por fis; y otras expresiones más igualmente ridículas, pero que por espacio tenemos que obviar.

Ahora bien, nunca ha existido ni existirá en todo el mundo pareja digna a la altura de su bebé o bebita.

Nadie merece a sus bellos críos, y por ello tiene que estar husmeando continuamente sus relaciones amorosas para evitarles decepciones y fracasos emocionales.

Paradójicamente, ella representa el ejemplo perfecto de fracasos, separaciones, abandonos, infidelidades exacerbadas, soledades maquilladas, inconmensurable falta de humildad, y carencia de madurez para aceptar su vejez sin pareja o en medio de un matrimonio fracasado y arrastrado como un lastre a través de las décadas.

Aquí hay que tomar en cuenta a la imprescindible mascota aludida.

En esencia no es mala.

El caso es que no ha crecido psicológicamente lo suficiente para percatarse del inmenso daño que le produce a sus hijos e hijas al interferir en sus relaciones amorosas a lo largo de toda la vida de éstos.

No ha aceptado ni asimilado que ya vivió, como haya sido su suerte y caso, su propia vida, y que necesita respetar las ideas, costumbres, deseos, necesidades, gustos, apetencias, modas, hábitos... en fin; respetar y aceptar que existen otras maneras de relacionarse amorosamente aparte de la suya.

Las hay básicamente de dos tipos:

La en verdad decente, quien bajo el peso de un anacrónico marco decimonónico de valores sólido y firme *(muy independiente de sus altos grados de histeria)*, está checando por vía telefónica a su única hija a lo largo del día para saber dónde y con quién está.

Morbosa y temerosa de que su hija se emocione en demasía con el novio en turno, por las noches le pide que vaya a su recámara para dormir juntas en su calientita cama. Cualquier síntoma o conducta que muestre la hija por escurrirse del control de ella, repercutirá en un predecible y aburrido sermón cargado de chantaje emocional con expresiones tan estereotipadas como;

—Yo di mi vida entera por ti y mira cómo me pagas. Lo quieres más a él que a mí. Anda, vé y diviértete que yo aquí me quedo sola como siempre. No me volví a casar para sacarte adelante y ahora quieres abandonarme. ¿Que te quieres casar? ¿Y qué va a ser de mí?; entre muchas más del mismo tono y ponzoña.

Este lamentable personaje no tiene amante porque considera esto indecente y transcurre su vida despreciando a señores que van desde el *"zorro viejo"* quien aún se siente un yuppie junior y quien sigue pensando solamente en sexo, manipulación y poder; hasta el señor discreto y cordial que lo único que desea sinceramente es una pareja con quien pasar sus últimos años en cordial convivencia.

Para ella, el primero es demasiado frívolo y lascivo, y el segundo un fracasado inútil que se niega rotundamente a mantener. Muy en el fondo, sin embargo, desea amanecer con alguien a su lado quien le dé los buenos días aparte de su miedosa y consentida hija, o de la chiqueada, encimosa y literalmente lambiscona mascota. Los pleitos entre madre e hija pueden ser continuos y por demás escandalosos. Tienen mucho que reprocharse mutuamente y no pierden la ocasión para manifestar sus oxidados y retorcidos sentimientos.

Sin embargo, casi de inmediato se contentan por cualquier nimiedad y esperan con paciencia la próxima riña ineludible.

Ambas sienten, sin otro remedio, que ésta es una manera de estar juntas y seguras. Bien a bien, el amor que ambas se profesan es honesto y dependiente, a pesar de sacrificar varios años de sus vidas afectivas. Esta suegra puede ser religiosa en extremo, y obliga a su hija y al novio en turno a asistir todos los domingos a misa para expiar sus pecados, sus malas conductas y sus torcidas y calenturientas intenciones.

Cuando se trata de una boda, ella resulta ser la pieza clave e indispensable del evento.

Ella planea, escoge, decide y señala cada uno de los pasos a seguir y de los lugares, fechas, diseños, flores, menú, luna de miel, lugar de residencia, en fin; de virtualmente todos los elementos que conforman este singular acontecimiento inolvidable.

De hecho, siente que ella misma es quien se está casando de nuevo.

46

Fantasía, por cierto, atroz para la joven pareja manipulada.

El otro tipo —*la nada moralista*— presenta en ocasiones aberraciones tales como las de dar clases de catecismo y lectura e interpretación de la Biblia a gente humilde que vive en zonas marginadas, y acostarse, furtivamente, con uno que otro esposo de sus mejores amigas. También obtiene ocasionales amantes jóvenes y potentes en los gimnasios en los cuales se mantiene en forma, y llega a tales colmos como seducir a los amigos de su hijo y a los pretendientes de su hija.

Nunca le falta el amante bastante envejecido *(sexualmente inofensivo)* quien cuenta con una apetitosa y envidiable fortuna, y quien le apapacha y consecuenta todo como a una jovencita caprichosa que nunca ha madurado y que nunca cambiará su inestable conducta adolescente.

Vestidos, automóviles *(casi sin fallar su enorme camioneta último modelo)*, viajes, joyas, restaurantes... todo esto y más, por el sólo acto de acompañarse y aligerar, ambos, sus desconsoladas soledades.

Estas curiosas parejas muy seguido frecuentan, con una nada creíble vocación, lugares y eventos culturales como conciertos, exposiciones, festivales y presentaciones de libros, para darse aires de intelectuales y personas comprometidas con la vanguardia del pensamiento artístico nacional e internacional.

Todos los domingos, sin excepción, este tipo de suegra se presenta impecablemente vestida en la Iglesia preferida, y no evita la ocasión para dar algunas moneditas sueltas como limosna. Cuando en ocasiones extraordinarias deposita algún billete sobre la canasta, estima que puede considerársele digna para ser canonizada.

Reza con disciplina y considera que todos sus pecados, literalmente, son *"borrados"* y que está lista para volver a acumular, a lo largo de la semana, un buen número de faltas a la moral, a la discreción y al respeto a sus semejantes.

Como se puede distinguir, en ambos casos esta suegra adinerada es todo un personaje temible que hay que evitar en la medida de lo posible para ahorrarse disgustos, gastos y traumáticos divorcios.

LA SUEGRA CLASEMEDIERA

Guarda extraordinarias semejanzas con la suegra adinerada con respecto a lo metiche, mitómana, religiosa, intrigante, fijada, echadora, fanática, histérica, materialista, irrespetuosa y chantajista.

En algunos casos, resulta peor que su similar adinerada, ya que por lo general arrastra un terrible y gris sinsabor existencial que le acarreó un matrimonio mediocre y carente de toda clase de lujos. De ahí que culpe a cada momento a su esposo por su amargada existencia, y que tenga una imagen masculina más bien deteriorada y turbia que hereda a sus hijas.

Por ello el especial cuidado de que ninguna de sus hijas repita la pesadilla que a ella le tocó vivir en su momento. El martirio de sacrificar sus mejores años por alguien que nunca la tomó en consideración y quien la confinó en un estrecho y oscuro departamento para llenarla de hijos y obligaciones diarias.

Ninguna de sus hijas debe repetir esta injusta experiencia, y por tal motivo tiene que fisgonear, husmear y prácticamente escoger al futuro padre de sus nietos.

También para ella no existe en todo el planeta un ser que merezca a sus adorados críos y por ello nunca estará satisfecha con ninguna elección que éstos hagan para formalizar sus vidas amorosas.

Si es con respecto a su hija, el mensaje por excelencia es más o menos el siguiente;

—*Todos los hombres son iguales, nada más quieren utilizarte, en cuanto te tienen en la cama te tiran como a un objeto inservible, todos son unos haraganes inútiles, todos son unos ateos renegados, todos, sin excepción alguna, son unos mediocres mantenidos, todos son unos infieles asquerosos y libidinosos, todos son unos borrachos empedernidos, todos son unos machos mujeriegos mal vivientes. Los hombres son unos cabrones;* y así por el estilo.

Si es varoncito, el mensaje es algo semejante a esto;

—*Todas son unas putas golfas, nada más la quieres para revolcarte con ella, quién sabe con cuántos no se ha acostado ya, no es virgen, es una cualquiera, es una interesada huevona desgraciada, por algo se divorció, todas son unas inútiles que no saben ni calentar agua, para qué te casas si tienes sexo con ella cuando quieres, ésta inútil en un parto se desmaya, ya no son como en mis tiempos que nos fregábamos dentro y fuera de la casa, te va a poner el cuerno en cuanto pueda, olvídate de que esta desgraciada bolsona te planche una camisa en su vida;* entre otras.

De hecho, tal vez sea el tipo de suegra más nefasto y fisgón que pueda imaginarse. Ya que la adinerada está más distraída y entretenida viendo la manera de gastarse su dinero, y la que es pobre no tiene ni siquiera aspiraciones ni puntos de comparación. Por desgracia para nuestra sociedad, esta suegra clasemediera es la que más abunda, pulula y, como una plaga indeseable e insufrible, la más difícil de evitar y exterminar.

A cada momento aconseja con obsesión a su hijo (a) con relación a su matrimonio, y nunca deja pasar la oportunidad para descargar su furia y odio hacia las parejas de sus críos.

Con gran farsa sostiene que ella sólo desea hacerles un bien a ellos, que los quiere por sobre todas las cosas y que únicamente se preocupa por su bienestar.

Pero nadie, absolutamente nadie le cree una palabra.

También es una obsesiva organizadora de bodas. Claro, todo tiene que estar y funcionar como ella dice y manda. Ya sea para repetir lo que le tocó vivir, o para evitarlo e imaginarse ella misma casándose otra vez, pero de una manera más bella e idealizada.

Como se observa, esta es una conducta femenina muy identificable y clara en nuestro país.

Los chantajes también son furibundos en cuanto a sentirse desplazada por el cariño del tercero que la separa del amor incondicional de su crío.

Las peroratas son deleznables y los hijos en verdad la alucinan cada vez que su voz, ceño, tono e intención ceremonial se transforman y manifiestan.

51

Trabajadora obsesiva en su casa, no permite que nadie desarregle las colchas de las camas, se siente en la sala *(se puede ensuciar o gastar)*, coma a deshoras, ensucie el piso, deje algún objeto fuera de su lugar, y muestre cualquier indicio de desorden y suciedad. Todas las nueras, sin excepción, son unas haraganas atascadas que tienen a su hijo viviendo en un cuchitril asqueroso e inmundo, además de tenerlo prácticamente muerto de hambre.

Por ello el que tenga que ir físicamente a supervisar el aseo de la joven pareja recién casada y meterse en su cocina para dar lecciones culinarias sobre guisos insuperables e ineludibles de la abuela.

Es Guadalupana con fervor y no duda ni escatima en ponerle el nombre de Guadalupe a alguna de sus inocentes e indefensas hijas. Claro, además del consabido María para cada una de ellas. María de los Ángeles; María Concepción; María del Socorro, María del Rosario, etcétera.

Este acto representa para la suegra clasemediera, un orgullo y una cierta forma de pagar a la Guadalupana, ya que se siente en eterna deuda con dicha virgen, porque la niña haya nacido tan bella y sana, lo cual, claro está, no puede ser sino un milagro o una intervención celestial.

Por lo general es una excelente cocinera y cuida, antes y después de los compromisos maritales de sus críos, que éstos coman bien y nunca se malpasen. Usualmente aborrece el alcohol, por todas las experiencias que le tocó vivir y padecer con su esposo: desvelos, escándalos, infidelidades, agresiones físicas, abandonos, separaciones, etc.

De ahí que le horrorice que su futuro yerno beba y pueda, de seguro, maltratar a su bella y adorada hija. Es una televidente acérrima y no se pierde por ningún motivo cualesquiera de sus insufribles telenovelas en las cuales sublima todas sus frustraciones, anhelos y esperanzas existenciales.

También los programas musicales del domingo son de su predilección, en los cuales puede ver y escuchar a sus ídolos del momento.

No se pierde, bajo ninguna circunstancia, los deleznables programas en los cuales se habla con sobrada ignorancia, morbo y vulgaridad sobre parejas fracasadas, actrices mediocres, romances escandalosos, descaradas meretrices, cínicos homosexuales y recientes estrellas de pacotilla, en medio de una simpleza y una vacuidad de ideas realmente pavorosas y alienantes.

En cuanto a gustos y apetencias estéticas parece estar oscilando entre lo exquisito y lo vulgar.

Tiende a ser extremista, sorprendiendo en ocasiones por sus pésimas elecciones en cuanto a decoración, vestir, música, películas, lecturas y comidas.

Es, eso sí, por demás servicial y participativa, y no pierde nunca la oportunidad para restregar los favores en la cara de los beneficiados.

Quizá como ninguna otra de su especie, posee una extraordinaria facultad y talento para el chantaje, el cual puede ir desde cantaletear y restregar haber dado la vida misma a sus críos, hasta haber advertido en decenas de ocasiones que la pareja amorosa de éstos no era la conveniente, debido a lo cual *"ahora hay que pagar merecidamente todas las consecuencias por no haberle hecho caso".*

Porque ha de saberse que ella siempre, sí, siempre, tiene la razón en todo.

En esencia no es mala.

Sólo que su amargura es demasiado grande y no la acepta ni soporta. Como una actitud de vida constante, va por sus días bajo este precepto simplón y burdo: No es quién se la hizo, sino quién se la paga...

LA SUEGRA POBRE

Quizá ésta sea la especie menos dañina y ponzoñosa.

Su ignorancia es tal que no tiene ni siquiera los elementos racionales para complicar y complicarse la existencia. Aunque burda y en exceso franca, sus intenciones son infinitamente menos sofisticadas y retorcidas con respecto a las suegras adinerada y clasemediera.

Su grado de religiosidad raya sinceramente en lo fanático y todos los acontecimientos de su existencia, ya sean buenos o malos, así como los de todos sus seres queridos, dependen directamente de la participación milagrosa de la Virgen de Guadalupe y del Diablo.

Su manejo con relación a la fe, a la espiritualidad y a creencias celestiales, nos remiten sin más a la alta Edad Media Europea, en la cual la superstición, el temor y la ignorancia reinaban sobre el pensamiento y sentimiento de las personas.

En cuanto a las relaciones amorosas de sus hijos es menos metiche y entiende, por haberlo vivido ella como experiencia propia, que está bien casarse a los trece o catorce años de edad —*embarazada o no*— y emprender una vida llena de sacrificios, limitaciones, obligaciones, infidelidades, maltratos y también, claro está, de ciertos momentos muy gratos llenos de alegría y unión familiar.

En el caso de ser una de sus hijas la pronta a casarse, la adiestra a la perfección en las artes culinarias, ya que le inculca desde pequeña que bajo cualquier circunstancia tiene siempre que alimentar bien a su marido y sin poner *"jetas"*.

No es mentira ni chiste el caso del infiel marido quien llega borracho, golpea a su señora, grita, maldice, y con todo, recibe a la mañana siguiente su plato de chilaquiles verdes picantes y calientes, acompañados de su café de olla bien cargado para la cruda.

También le inculca a su hija que sea siempre fiel a su esposo —*si no por convicción sí por miedo*— ya que de lo contrario, éste, en verdad, puede matarla si la descubre con otro.

Eso sí, también la educa a apechugar, como pueda, todas las infidelidades descaradas y recurrentes de su embarazador marido. A este tipo de suegra no le importa mucho cómo sea su futuro yerno mientras aparente tratar bien a su hija. Las consideraciones económicas, profesionales, académicas, religiosas, y otras más por el estilo, ni siquiera se cuestionan.

No importan realmente gran cosa. El punto es que el pretendiente sea respetuoso y cariñoso con su futura esposa. O por lo menos que así lo aparente.

Como voraz glotona insaciable que es, esta suegra presenta usualmente una figura de gladiador romano, la cual, por desgracia, hereda la hija sin otro remedio.

56

La genética nunca se equivoca ni perdona.

Como acontece en casi toda honorable familia mexicana de este tipo, en casos extremos de problemas entre su yerno y su hija adorada, esta suegra puede llegar a los golpes con tal de defender a su *"inocente criatura"*. Aunque suele, asimismo, arreglar cuentas de esta misma forma con su propia hija para defender a su yerno si éste tiene la razón de su lado.

También posee *(parece ser una generalidad femenina de las mexicanas)* una pésima imagen masculina debido al comportamiento de su propio marido y al par de gañanes que pudo tener por novios.

Para ella, ineludiblemente, Todos son: —*unos méndigos cabrones desgraciados, unos huevones haraganes mantenidos inútiles, unos infelices desvergonzados y borrachos, unos machos patanes, tragones y cochinos, viejeros desobligados cojelones hijos de la chingada;* y otros estridentes calificativos del mismo tono.

Como muy seguido se da el caso, estas familias viven en la misma reducida casa-vecindad, y los enfrentamientos, por ende, son continuos y de mucho desgaste físico y psicológico.

Aunque también se dan situaciones en las cuales la convivencia resulta, contra todo pronóstico, cordial y bien intencionada. Este tipo de suegra *(al igual que toda su gente)* presenta envidiables manejos emocionales ante acontecimientos y experiencias que pueden derrumbar a otras personas de más elevado nivel académico e intelectual.

La muerte de un familiar, un divorcio, una hija robada, abandonada, golpeada, violada, son acontecimientos cotidianos que no repercuten considerablemente en su devenir existencial y en su elemental pero sólida psique.

El planteamiento filosófico por antonomasia es:

—*Es su voluntad de Dios. ¿Qué le vamos a hacer? No se dio. Ya Dios dirá.*

Aunque no le puede brindar a su hija una Educación Sentimental sofisticada, decimonónica, llena de telarañas y recovecos obsoletos y ridículos; sí en cambio le da consejos, refranes, dichos, y sentencias que desarrollan un sentido de la vida práctico, sencillo y aplastantemente pragmático y funcional.

Puede ser, por voluntad propia, muy colaboradora y cocinar ella sola todos los guisos de la boda de su hija, hacer toda la costura del vestido, encargarse de los adornos florales, y después de dicho evento, seguir cocinando y cosiendo cotidianamente para su hija y su yerno.

Lo mismo puede suceder con el lavado y planchado de las ropas de los recién casados. El sacrificio de su propia persona y vida es casi un mandato de cualesquiera de las divinidades que respeta y venera.

Con mucha frecuencia dispone pequeños altares dentro de su casa con imágenes, figurillas y demás utensilios y artefactos religiosos, para agradecer todos los milagros de los que ella y toda su familia son merecedores.

Aunque en este país marcadamente machista el quehacer de la casa en general es obligación inamovible e incuestionable de la recién casada, ésta, de acuerdo a la situación económica en la que siempre se ve inmersa, tiene que trabajar para ayudar con el gasto diario. Aquí aparece puntual la madre-suegra quien brinda su apoyo incondicional para realizar un sin fin de tareas domésticas.

Ni qué decir de esta suegra como niñera; resulta espléndida, cariñosa y consecuente, un verdadero burro de carga incondicional y aguantador. En cuanto a su manejo lingüístico, sus expresiones, modismos y barbarismos son constantes y contundentes.

Muy seguido de un enorme ingenio no intencional.

—*Está bien cercas, ójala y váyamos, cómpremos, báilemos, cómamos, fuistes, trajistes, comprastes, hicistes, mentistes, salió fueras, su casa de mi comadre licha, la rata ganó payá, nadien vino a su casa de mi hijo, su casa de mis compadres está bien preciosísima, este vestido está muy hermosísimo, más luego, más sin en cambio,* y otras muchas con el mismo tono espontáneo.

Si su hijo es el que se casa, los detalles, preocupaciones y cuidados son menores y ella está, de alguna primitiva e intuitiva manera, segura de la acertada elección de su ilusionado muchacho.

Ustedes los varones siempre sufren menos que nosotras las mujeres, hijo. Le comenta con una certidumbre filosófica aplastante que el mismo Montaigne envidiaría para cualquiera de sus Ensayos.

Como madre y abuela querendona y abnegada que usualmente resulta, le encanta la idea de verse rodeada de sus nietos, quienes le hablan de Usted, mostrando con ello un respeto merecido y ganado a través de los años y las acciones.

En general, su mundo es curioso y muy peculiar, y a su manera, profundo e intenso; repleto a cada momento de santidades, fechas por guardar, preparación esmerada de grasosos, picantes y nada nutritivos guisos, festejos por cualquier motivo con el pretexto de congregar a la familia, de anécdotas que recuerda plácidamente, de programas insulsos de televisión que nunca deja de ver, y de miles de deseos y sueños que espera, confiada, le sean concedidos.

Toda su precaria existencia se sustenta en una premisa por excelencia, básica y elemental:

— *"Ya Dios dirá..."*

LOS SUEGROS

Quiérase o no, este personaje, muy independiente de su estrato social, cultural y económico, es infinitamente menos peligroso y dañino que su similar femenino. Aunque existen, claro está, horrendas excepciones de señores en verdad insufribles.

Esto se debe a que por lo común, y también por su condición masculina, el suegro está metido en *"otros asuntos más importantes"*, que determinar con quién habrá de casarse su hija, o si su inquieto y desorientado hijo debe siquiera hacerlo.

Existen, *grosso modo*, dos categorías fundamentales de este por momentos también insufrible y peculiar personaje.

A saber:

EL SUEGRO MILITAR CASTRANTE

Sujeto por demás curioso y contradictorio, además de marcadamente dictatorial, neurótico, macho, posesivo, misógino, mojigato, intransigente, mustio e hipócrita, quien mantiene en el completo terror a toda su familia.

Es aquél que al entrar a su casa, todos los miembros de su familia, amigos e invitados, deben callarse, esperar a ver de qué humor está y disponerse a llenarlo de halagos, favores y atenciones. Él se siente y vive como el único y verdadero Rey de su hogar.

Y pese a quien le pese, sí, es el Rey.

Vaya de paso un sincero homenaje también a nuestro trovador de cantinas y pulquerías, remedo nacional de goliardo medieval, José Alfredo Jiménez, por haber escrito la célebre canción *"El Rey"*, innegable himno de muchos machos nacionales.

Este personaje es en extremo macho, celoso, y cuida a su hija como si fuera una auténtica monja. Paradójicamente, en muchos casos la muchachita, harta y confundida de este yugo bizantino paterno, busca cualquier momento y pretexto para realizar sus travesuras sexuales desde temprana edad, como una postura abierta de rebeldía, y por más que él sienta que tiene el absoluto control sobre ella, esta aparentemente inocente criatura angelical ya ha tenido una buena colección de novios, amantes, queridos, prospectos, amigos cariñosos, y es casi una experta guía turística de restaurantes de moda, calles poco transitadas, parques públicos, automóviles de todo tipo, recámaras de los novios en turno, y hoteles de paso con jacuzzi a las afueras de la ciudad, y a lo largo y ancho de Calzada de Tlalpan.

Para su fortuna, él nunca se imagina nada de esto y cuando ve a su niña *(porque siempre será una niña inocente y juguetona para él y su esposa)* en el altar vestida de blanco, suspira con gran orgullo y se felicita por haber sido estricto y lograr con ello que su hija llegara virgen y pura al altar como por obligación lo hiciera su esposa, su madre, sus tías, sus abuelas...

Siente, por fin, que tantos corajes, preocupaciones, pláticas y recalcitrantes sermones valieron la pena.

Cada prospecto de novio de su hija es pretexto para hacer una verdadera y engorrosa encuesta socioeconómica y sobre valores éticos y de política.

Ante estos insufribles interrogatorios más bien identificados con la PGR, el pobre novio no se imagina que está haciendo un minucioso examen de admisión en esa honorable y respetable casa y familia mexicana con la cual pretende relacionarse.

Este nefasto suegro pregunta e investiga de todo.

Quiere saber a ciencia cierta si este recién pretendiente no matará de hambre a su hija, o si se la llevará a padecer limitaciones de todo tipo en una apestosa y húmeda buhardilla de interés social para pagarla a 20 años. Él, que le ha dado todo a su niña, no puede permitir que suceda algo semejante.

También, muy en el fondo, sospecha y teme que el novio en turno de su hija sea tan viejero, cínico, lascivo y libidinoso como él mismo lo fue antes de casarse *(capítulo, por supuesto, que la esposa ni siquiera sospecha ni se atrevería a cuestionar).*

Es tan estricto y neurótico consigo mismo, que usualmente no se permite amantes dentro de su matrimonio. Su educación militarizada lo prohibe al igual que sus 2000 años de herencia religiosa castrante.

Ahora bien, si él fuma puro, sólo se puede fumar puro en su casa. Si él no fuma, nadie debe hacerlo. si él bebe, sólo él bebe, si él no bebe, nadie bebe en su casa...

"Su casa —*arguye*— no es ninguna cantina ni burdel; su casa es un hogar decente y honorable pese a quien le pese".

Por esto y mucho más, no resulta difícil adivinar porqué su esposa tiene una cara larga y endurecida, una mirada llena de vació y soledad, una sonrisa fingida y amargada y, en general, una sexualidad maltrecha y oxidada.

Ya como una costumbre sólidamente establecida al través de los años, este sujeto prefiere, en especial los fines de semana, que su hija reciba al novio en turno en casa, y mientras él devora sus insulsos y frívolos programas televisivos favoritos en los cuales sublima todos sus anhelos y frustraciones, está tranquilo porque sabe que su hija permanece abajo en la sala tomando café y quizá fumando a escondidas con su novio.

No llega nunca a sospechar que ella está sin algunas prendas de vestir y encima del novio, quien también carece de cierta ropa demasiado estorbosa para esas situaciones improvisadas.

El sillón que con toda intención escogen para retozar nerviosos y apresurados *(esto llega a ser más excitante por lo incómodo de la situación)* es justamente en el cual el honorable Rey del hogar suele leer, cada día, su periódico en pijama y pantuflas.

De vez en vez le grita a la hija para hacerle sentir su omnipotente presencia.

La hija, agitada, se separa de lo que esté besando y contesta de inmediato.

Él sonríe, vuelve a felicitarse y continúa enajenándose frente al televisor, mientras su esposa, entre cosiendo una chambrita para algún nieto y viendo el programa televisivo, le acompaña fiel e irremisiblemente a su lado representando una escena renacentista florentina de la Sagrada Familia.

En la espectacular boda de su hija se pavonea casi con marcialidad desde la entrada de la Iglesia como si estuviera en un glorioso desfile militar y festejando una victoria histórica.

Al llegar al altar, y contra toda su educación de cadete viril esmeradamente llevada a cabo, deja asomar algunas mustias lágrimas por sus ojos colorados.

Sí, está feliz, pero no se permite reconocerlo y mostrarlo a la gente. Sería una tremenda debilidad y falta de tacto.

Sin embargo, durante el banquete, en el lujoso salón y con todos los invitados presentes, se siente muy orgulloso de sí mismo porque todo, absolutamente todo, es gracias a su esfuerzo, esmero y buena moral.

Como abuelo es muy cariñoso en verdad. A escondidas, sin que nadie lo observe, juega como niño con su nieto(a) haciendo gestos y caras por demás ridículos y grotescos.

Cuando siente que alguien lo observa, se comporta como es debido y muestra su cariño con sonrisas aisladas y gestos totalmente controlados.

No puede, por propia formación desde su herrumbrada adolescencia, evidenciar nunca su sincera debilidad y profundo amor hacia su querido descendiente.

Aquéllos de la familia que ya le conocen demasiado bien, le siguen el juego y le dan siempre su inamovible y honorable lugar, ya que con los años, llega a ser patéticamente predecible y simplón.

También en esencia no es malo.

Simple y humanamente, sigue viviendo una película de milicia y honor muy a la gringa que ni él mismo se ha creído nunca.

EL SUEGRO BONACHÓN

Es, en esencia, una persona tranquila, con infinita más sencillez, paciencia y sentido común que su colega anterior, y quien respeta, en la medida de lo posible, el desarrollo psicológico y sexual de sus hijos.

Es, a su manera, más maduro y ubicado.

En especial con su hija, es muy abierto, cordial y aunque no le haga del todo feliz saber que ésta ha estado retozando desde pequeña *(13-15 años)* con sus respectivos novios, sí en cambio entiende que es un proceso natural y consecuencia directa de las recientes generaciones de jóvenes.

Asimismo, es lo suficientemente práctico y hábil como para ganarse la simpatía del novio y tenerlo, de esta manera, más cercano a él para poderle cuestionar con sutileza consideraciones que le interesa saber con respecto a la relación que lleva con su hija.

No resulta extraño que estos varones vean partidos de fútbol juntos, a la par de compartir sendas cervezas heladas y suculenta botana improvisada. La hija, aunque no extasiada por estos populacheros eventos deportivos domingueros, se mantiene tranquila y confiada por la franca armonía que prevalece entre su novio y su propia familia.

No es ninguna coincidencia que este tipo de suegro esté, por lo común, bien casado y disfrute momentos de absoluta frivolidad y deliciosa cotidianidad con su más bien aburrida esposa y demás hijos dentro de una atmósfera tranquila, cordial y sencilla, típica de una familia mexicana decente.

Por lo general, carece de complejos absurdos, innecesarios y pretensiosos, y cuenta con la capacidad debida para tolerar y consecuentar actos que él mismo llevó a cabo cuando joven.

Es muy buen comensal y tiene definidas preferencias por la bebida. Una botana preparada por él, y un trago también de su propia hechura, son elementos que pueden producir momentos de enorme alegría frente al televisor o simplemente en la plática de mesa en la cocina o en el ante comedor, siempre con el televisor encendido y viendo programas insulsos y alienantes.

Este suegro resulta ser flexible en cuanto a los horarios de llegadas por la noche que debe acatar su hija.

Cuando está muy entretenido en alguna actividad o programa televisivo, simplemente delega el permiso y la hora de llegada de la hija a su esposa, quien, por lógica, y por estar viviendo al lado de su querendón esposo durante tantos años, ha desarrollado también un sentido común muy benéfico para toda la familia.

Por paradójico que parezca, este tipo de conducta paterna hace que la hija se comporte de mejor manera fuera de casa, que si tuviera que padecer el despreciable y bizantino yugo de un padre retrógrado como el antes expuesto.

No es sorprendente ni obra de la casualidad, que el suegro y el futuro yerno se vayan juntos de pícaros a bares y cabarets *(table dance)* y que si tienen buena pesca, hasta bromeen muy de cerca con algunas golfas y bailarinas.

Claro que todo esto queda en un solidario pacto de discreción entre caballeros con inamovible palabra de honor.

Muy sinceramente, y sin ninguna actitud de celo, el suegro trata de disuadir al futuro yerno mandilón para que no se case con su histérica e insoportable hija. Le advierte del tormento y pesadilla que le tocará vivir de no escucharlo.

En este tipo de situaciones, nunca faltan las experiencias propias del suegro y la manera en la cual las sorteó con su acostumbrada concha y valemadrismo.

El futuro yerno se abruma ante tanta sinceridad por parte de su posible suegro, pero concluye manifestando sus contundentes y enamoradas intenciones, las cuales no pueden ser debilitadas por nada... ni siquiera por la rotunda y aplastante verdad de un consejo que trata de evitar, o un divorcio inmediato, o varios lustros de gris existencia y mediocridad amorosa.

En cuanto a las pláticas diversas que sostiene con su hija, son también abiertas y bien intencionadas.

Prefiere, aunque quizá no lo expresa abiertamente, que su hija se case pronto y bien, y no que ande por ahí de güila sin ton ni son.

Con respecto a su hijo, este suegro le aconseja que siempre se case con una mujer decente y no con una que lo atrape sólo por la vagina. — *"Piensa en tus hijos y en el ejemplo que tendrán. Mírate en el espejo de tu madre y mío. Puedes no hacer mucho dinero, pero eso sí, ten una familia decente, un hogar integrado y unido".*

Este tipo de suegro es aquél que trata siempre, y a toda costa, de preservar la unión familiar.

Para ello organiza recurrentes taquizas domingueras e idas a espectáculos diversos de gran trascendencia intelectual como lo son el fútbol, el cine, restaurantes y plazas comerciales para sólo mirar y desear, en silencio, diversos artículos de los aparadores.

Ni qué decir de las noches de Navidad y Fin de Año en su casa. Son aún mejores que las que organizara el mismísimo Charles Dickens en sus buenos tiempos londinenses.

Comida, bebida, música ranchera, botanas de toda clase, amena plática, regalos, visitas inesperadas, colados, gorrones, derroche de sonrisas y risotadas, promesas, brindis, lágrimas, abrazos, deseos...

Como abuelo es en verdad insuperable.

Como padre, constante, comprensivo y cariñoso.

Como esposo, tolerante, modestamente infiel y amable.

Como suegro, que es al fin y al cabo el papel que aquí nos compete directamente, es inofensivo, poco metiche, muy servicial y más bien sincero.

EL ALBAÑIL

Este cuasi fantástico sujeto representa todo un personaje en extremo singular, a quien por ningún motivo se puede pasar por alto o inadvertido en este libro.

Su mundo, sin exagerar, está fuera de cualquier parámetro lógico y común, y vive en otra dimensión dentro de una serie de conductas y actitudes por momentos cómicas, y por otras realmente impensables, que rayan en lo patético.

Es infinitamente imaginativo y mentiroso, mañoso, curioso, e improvisa —*como un virtuoso del jazz*— cualquier herramienta y artefacto requerido, y prácticamente con desperdicios y porquerías diversas de materiales como tablas, clavos, láminas, polines, cubetas, ladrillos, tarimas, etc., construye a medias toda clase de andamios, mesas, escaleras y tendidos.

En general se las ingenia para darle solución —*claro está, a su manera*— a cualquier problema que se le atraviese en el desarrollo de una construcción.

Arma, clava, taladra, pega, cincela, aguachina, machimbra, acarrea, y tal vez el verbo que con más frecuencia utiliza a diario, y que etiqueta y justifica todas sus labores: improvisa herramientas y supuestas soluciones para salir del paso ante cualquier circunstancia adversa inesperada.

Su modo de contemplar los fenómenos prácticos de la construcción está muy alejado del universo académico de un arquitecto o de un ingeniero, y él siempre considera que tiene la razón, muy independiente de los estudios de los pretensiosos profesionistas con corbata que pretenden contradecirlo.

Cuando llega a resolver un problema *(trabajo-chamba-talacha)* que otro albañil hiciera, para él siempre, invariablemente, está mal hecho lo que el anterior trabajador realizara. Ante esto, da su versión irrefutable e inamovible y nos regala una espléndida cátedra de cómo debió haberse hecho el trabajo.

Si se da el mismo caso y llega otro albañil, éste, a su vez, reconsidera lo hecho y repite la historia.

Conclusión: todo está mal y sólo él, el albañil en turno, podrá arreglar el problema.

Nadie sabe trabajar como él.

Él es el único capaz y conocedor.

El mejor.

Todo esto, evidentemente, en medio de un lenguaje por demás original y en ocasiones de una lógica asombrosa y aplastante. Expresiones tales como: —*Lo que el muro me pida,*

73

es lo que me pide la columna, ahí el que manda es el ladrillo, solita el agua reconoce la salida, hay que aguachinar los ladrillos, el muro se aposhcaguó, este muro me castiga y me reclama 20 cms más, las plantas de la jardinera macoyaron harto, la regla no miente, —puede estar cayéndose la casa, pero él, flemáticamente sólo expresa— *perdóneme patrón, pero todo está a plomo, ese no engaña, la humedad gana para todas partes, la escuadra no me deja mentir, el ladrillo viene espantado (sin color), pálido, esta losa está colgada, ¿quiere el trabajo al centímetro o ahí más o menos?, nadien me indicó qué altura ni qué ancho, ¿cómo quiere que adivine?,* y otras muchas igualmente originales y ocurrentes.

Es irresponsable a más no poder, y para comprobarlo, todos los lunes, casi religiosamente, tiene que curarse la tremenda borrachera que iniciara desde el sábado a mediodía gastándose su ya de por sí raquítica paga. Este evento infalible significa que se gaste toda su semana o raya *(salario)* y que por consiguiente las dos o tres esposas que tiene, y por lo menos su decena de hijos regados, se queden sin comer y vivan en circunstancias infrahumanas. Eso sí, nadie como él para el cinismo, el machismo y la desfachatez.

Por supuesto que no podía faltar su fanatismo religioso medieval, por lo cual también es ferviente devoto de la mexicanísima Guadalupana, a quien le dedica un día en especial *(12 de diciembre)* en el cual, resulta obvio, se emborracha hasta caerse en cualquier parte como una ferviente muestra de fe para agradecerle a la virgen tantos hijos, mujeres y chambas recibidas. Cuenta, asimismo, con otra importante cantidad de santidades, patronos y órdenes angélicas, a los cuales festeja y venera de la misma alcoholizada manera.

Ya de viejo, es casi venerado por sus nietos y sobrinos quienes siempre se dirigen hacia él hablándole de usted y con el consabido e imprescindible Don.

Con la ineludible llegada de la vejez, él se convierte en toda una autoridad y enciclopedia práctica de la construcción. Experto consejero, mitad profeta, mitad filósofo, transcurre sus días alcoholizado hasta que su deshecho hígado se harta, por fin, de trabajos forzados y continuos. Tras su muerte, familiares, vecinos y amigos habrán de parafrasearlo como alguien que legó un ejemplo a seguir, y se colocará su fotografía con todo respeto, en la sala de la pequeña casa donde soliera devenir con su numerosa y desperdigada familia.

Muerto el Don, el hijo y el nieto esperan turno para honrar su memoria y preservar su preclara enseñanza. La historia, sin otro remedio aparente, se repite generación tras generación.

EL POLICÍA

Este es otro personaje ineludible dentro de nuestra folklórica ciudad-capital, quien raya en lo burdo y lo sinceramente absurdo. Parece estar cortado con la misma defectuosa tijera que sus colegas-paisanos, tanto por sus atributos físicos, como por su rudimentaria y arcaica conducta.

Posee, quizá como muy pocos seres humanos sobre la tierra, una formidable vocación para el soborno, la corrupción y la negligencia. Flojo, indisciplinado, ignorante, barbaján, limitado, corriente, pintoresco, borracho, mentiroso y transa, representa —*uniforme y chapa respectivas*— a la ley en nuestras calles, comercios e instituciones bancarias.

Las semejanzas lingüísticas con relación al burócrata y al albañil son sorprendentes en verdad, debido a que todos ellos proceden del mismo árbol genealógico. Existen casos cotidianos notoriamente famosos que hablan en abundancia de este personaje. Uno de éstos, quizá el más conocido y nombrado, es la manera en la cual agilizan el tráfico en las calles y avenidas de nuestra contaminada Ciudad.

A través del sonido de las destartaladas patrullas, uno puede escuchar una siniestra voz chillona prepotente y apática gritando: —*¡Avance, avance, avance!* —con una desesperante monotonía fonética.

Otras expresiones inmortales como: —*Oríllese a la orilla, sedán negro oscuro deténgase ahí, avance pa´delante;* son joyas semánticas abominablemente curiosas y aberrantes, las cuales debemos conservar como un verdadero orgullo nacional.

Ahora bien, ver bajar a estos personajes de sus patrullas, resulta una prueba irrefutable de la teoría de Darwin. Por lo común panzones, descamisados, sin casco o gorra, desparpajados, sucios y en una actitud de inconmensurable flojera, se acercan a nuestro vehículo para empezar un diálogo por demás curioso.

—*¿Qué pasó mi buen, mi estimado, mi güerito, mi valedor?*

—*Pos que no se dio cuenta que se pasó el alto...¿no le digo? A ver sus papeles, deje verlos... ¡A poco viene servido?...* (al observar que todos los papeles están en orden, desolado pregunta:) —*Qué... ¿cómo le vamos acer? Nos va a tener que acompañar al m. p. (ministerio público)... ¡Ah, no sea payaso! esto no alcanza ni para el chesco...el pareja también tiene hambre... búsquese bien...ahí tiene, no se haga, aunque sea también pa´ la torta.*

Una experiencia en el Ministerio Público es algo en realidad inenarrable que en lo absoluto se le desea a nadie, ya que los supuestos licenciados que ahí trabajan están al mismo nivel de los insignes policías.

Todavía recuerdo mi lamentable experiencia.

Me habían asaltado retirando dinero de un cajero automático *(había pagado el seguro por vivir en esta Ciudad)* y los ganapanes se llevaron todos mis papeles, credenciales e identificaciones personales. Entre todos estos documentos, estaba mi recién plastificada Tarjeta de Circulación. Ahora, después del desafortunado suceso, había que reponerla por una nueva para evitar problemas posteriores y para llevar al cabo los correspondientes trámites de cambio de placas y pago de tenencia.

En estos tristes casos, lo primero es acudir a la Delegación correspondiente donde sucedió el percance para dar cuenta y levantar un Acta que nos protege de cualquier acontecimiento ilícito posterior.

Llegué a la Delegación correspondiente y me acerqué al mostrador.

Atrás de éste había tres sujetos platicando acaloradamente de los resultados futbolísticos del fin de semana.

Los tres me vieron pera nadie se acercó a mí ni me dirigieron palabra alguna.

—*Buenos días,* —comenté con una voz tranquila y controlada.

Igual resultado.

—*Buenos días, Licenciados,* —repetí en un tono más alto.

78

—*Dígame.* —Contestó uno de ellos con un tremendo enfado.

—*Vengo a levantar un Acta. Me asaltaron...*

—*Están desayunando. Siéntese; en un momento regresan.* —Me contestó el que parecía ser el jefe de los otros dos. Esto lo deduje porque tenía los pies sobre el escritorio y porque era el que lideraba la interesante plática.

—*Perdone, ¿Tardarán mucho?* —Pregunté con cierta ingenuidad.

—*¡Están desayunando! Siéntese.* —Volvió a decirme el jefe en tono firme.

Esperé cerca de cuarenta minutos y nada.

Nadie aparecía.

Algo que me consoló un poco fue que al igual que yo lo hiciera, fueron sentándose personas que llegaban por varias razones y que terminaban, como en mi caso, sentados en una banca de madera pintada con un color azul cielo deleznable tipo pueblo michoacano.

Desesperado, me levanto y me dirijo de nuevo hacia este trío de inútiles. Antes de llegar al mostrador, el jefe le comenta a uno de los Licenciados con indiferencia manifiesta: —*Atiéndelo tú. A ver qué quiere.*

—*Pásele.* —Me contesta el Licenciado indicándome que pasara detrás del mostrador. Es decir, del lado donde ellos estaban platicando.

—*¿Qué le pasó?*

—*Me asaltaron y me robaron todos mis papeles. Vengo a hacer una reposición.*

—*¿Dónde fue?* —Me interrumpió con brusquedad.

—*En San Angel.*

—*¿En qué calles? San Angel es muy grande.*

—*Entre las calles de... la que está en... la que desemboca a Revolución a la altura del mercado...*

—*¿Cómo se llama?*

—*No lo sé.* —Contesté casi atemorizado y empezando a sentir unas sinceras ganas de escupirle en la cara al tinterillo de mierda que tenía en frente.

—*En la Sucursal de qué banco.* —Volvió a preguntar el sujeto.

—*Bancomer...*

—*Ya sé cual es. Pero creo que está fueras de nuestra jurisdicción. Espéreme.* —Se levantó y cruzó unas palabras con los otros dos personajes quienes seguían platicando del tan amado deporte mexicano. se sentó, sacó una hoja de papel, la metió en una máquina de escribir de los años sesenta y sin mirarme me espetó—: *Describa el caso brevemente y no invente nada.* —Empecé a narrar mi cotidiano acontecimiento citadino y él a escribir con una rapidez evidente. Terminó y se dirigió hacia los otros dos con una lentitud y flojera inmensas.

Lo curioso del caso es que era día lunes a las 9:15 de la mañana. Regresó con un garabato inmenso *(la firma del susodicho jefe)* que casi ocupaba la mitad de una de las hojas escritas y me comentó: —*Tiene que ir a pagar a la Tesorería su reposición. Cuando pague, regresa.*

—*¿Dónde queda la Tesorería, Licenciado?*

—*Hay varias. Pero la que le agarra más cercas es la de Insurgentes, a la altura de San Angel...* —Después de definir bien la ubicación de la Tesorería me dispuse a salir.

Evidentemente volví a preguntar en la calle a otro oficial quien me dio, ahora sí, la verdadera ubicación de la oficina de Tesorería.

Al llegar a esta insigne dependencia de gobierno, sentí una enorme flojera por los trámites y las colas que tenía que hacer.

Pero no había otro remedio.

—*Perdone señorita vengo a pagar una reposición de Tarjeta de Circulación.*

—*Caja tres.* —Me interrumpió una morena más bien rolliza y con un rostro de sincera amargura.

—*Buenos días caballero, vengo a pagar esta forma...*

Silencio absoluto. Dos sellos en el original y la copia y una mirada de quítese que hay gente detrás de usted esperando turno.

Contento, más bien entusiasmado, me dirijo hacia la Delegación.

Entro, y para sorpresa mía, sólo estaba el jefe de los sujetos anteriores pero ahora acompañado por otros tres ejecutivos de la misma calaña.

—*Licenciado, ya pagué la forma para reposición de mi...*

—*¿Quién lo atendió?*

—*No sé, era un Licenciado con traje color café claro.*

—*El Pedro.* —Contesta uno de ellos al jefe que permanecía sentado sin muchas ganas de moverse y de atender a la gente.

—*Está desayunando. No tarda. Espérelo.*

—*Oiga, pero ya pagué y llené los trámites correspondientes. Tengo prisa.*

—*¿Y qué quiere que haga?*

—*¿No me puede atender otra persona?*

—*No, tiene que ser el que le levantó el acta porque él también tiene que firmar.*

—*Espérelo.*

No contesté y me senté sintiéndome un absoluto imbécil impotente ante tanta insolencia e ineptitud. Y pensé; entre otras cosas, que nos descuentan tantos impuestos cada mes para que salgan los sueldos de estos atarantados ineptos.

Decidí calmarme y contar hasta... ¡mil!

Por fin, después de veinte minutos apareció el bodoque que me atendió en un principio con un palillo entre los dientes y oliendo a quesadilla y salsa.

—*Pásele.* —Me dijo con la misma flojera y casi hasta enojado porque no le permitía hacer la digestión de su mazacotuda tragadera.

82

—*El pago...*

—*Aquí está Licenciado.* —Le respondí con todo el sarcasmo, y de repente se me abrió el entendimiento y llegué a concluir que si uno se manifiesta del bando de estos pseudo licenciados, logra mucho más que pretendiendo ser civilizado, paciente y tolerante.

Empecé a ubicarme como su amigo de toda la vida.

—*¿Y qué tal está la chamba jefe? ¿Ha de estar dura, no?*

—*Algo...*

—*Oiga, qué habilidad tienen ustedes para resolver tantos casos al día. ¿Cómo le hacen?*

—*Pus hay que darle macizo, la práctica, es pura cosa de práctica, usted sabe.*

—*¿Ya tiene tiempo en esta Delegación, Licenciado?*

—*Más o menos...*

—*Ya me imagino las cosas que no ha de ver visto...*

—*De todo. De todo un poco.*

Aún no había logrado abrir la llave del diálogo y de la camaradería mexicana tan reconocida allende nuestras fronteras. De repente, y como una maniobra de sagacidad y tino, pregunté con cierto descaro:

—*¿Y a qué equipo le va, jefe?*

—*A las chivas...*

—*¡Vaya, usted sí sabe de futbol! Yo también le voy al rebaño sagrado. Pero van muy mal, ¿No?*

83

—*De la jodida. No han ganado ni un pinche punto en tres partidos.*

—*¿Contra quién vamos?*

—*Contra la máquina... va a estar cabrón que gánemos...*

Yo estaba feliz. Por fin había logrado diálogo y quizá, por simple solidaridad futbolística *(aunque evidentemente no le voy a este naco equipo y me importa un carajo el mediocre futbol nacional),* podría hasta ahorrar bastante tiempo en los odiosos trámites.

—*¿Usted no jugó de chavo?*

—*Algo, pero cascarita, ahí en la cuadra con los compas...*

—*¿Qué posición?*

—*La que cayera. Es lo mismo...*

De vez en cuando yo era interrumpido por el diálogo que atrás de nosotros tenían el flamante jefe y sus lambiscones subalternos.

—*Nombre, está poca madre este traje que te comprastes. ¿Cuánto te rifó?*

—*Trescientas lanas. ¿Está varas verdad?*

—*Regalado. Te manchastes con ese precio. ¿Todavía vende ropa su cuñado de tu esposa?*

—*Nel, el güey se abrió porque un día lo abarataron en Tepito con toda su mercancía. Ahora está de velador el güey, pero me dice que se queda dormido bien seguido y nadien se da color.*

—*Yo le llegué a comprar un saco muy chido. Padrotón. Y también me dio buen precio...*

—*Ahora se dio al pedo. Tiene problemas con su ñora.*

—*Es que ese güey es muy manchado. Tiene un resto de movidas. ¿Cómo le hace si gana una madre?*

—*Sabe...*

Entre el diálogo y la conversación que tenía con el Licenciado que me estaba levantando el Acta, perdí por momentos el control y concluí con una sincera carcajada ahogada.

Pensé, en manos de estos mequetrefes salvajes está la ley en nuestro país....

—*Va a ver que le vamos a dar a la máquina.*

—*Nombre, qué va, tan duros esos valedores.*

—*A ver léalo con calma y si hay algo equivocado me dice, sino, firma y ya estuvo.*

—*Gracias, Licenciado.*

Empecé a leer y me maravillé. "*Siendo las trese horas del día quinse del mes en transcurso, en su sucursal del banco de nombre Bancomer, ubicada entre las colindancias de las calles de...*"

Era una verdadera joya leer tanta falta de ortografía en medio de una elegancia sintáctica que el mismo Francisco de Quevedo hubiera envidiado.

—*Muy bien, Licenciado, Todo está clarísimo.*

—*Firme el original y las copias. Que su firma no rebase este límite...*

—*Gracias, Licenciado. ¿Ahora qué sigue?*

—*Tiene que ir la oficina de licencias y tarjetas de circulación que está en las calles de...*

Era realmente algo insufrible poder adquirir una maldita Tarjeta de Circulación en menos de seis horas.

Agradecí, salí y me dirigí hacia la otra dependencia.

Lo que también ahí sucedió puede fácilmente imaginarse.

Formas, sellos, colas equivocadas y volverse a formar, mala información, jetas, tortas en algunos escritorios, comentarios pintorescos, ineptitud al máximo y el instinto manifiesto por parte de estos gangsters funcionarios de que uno dé una mochada y se puedan agilizar inmediatamente y casi por milagro todos los trámites correspondientes. La siniestra verdad y paradoja de este país, es que con un billete más bien pequeño, uno se evita muchas molestias, y así haya cometido una infracción grave, uno agiliza todo por obra y gracia del dinero y sigue su camino campante y con la consciencia absolutamente tranquila y limpia, fomentando y manteniendo la corrupción y la *"mordida"*.

Este mexicanísimo sistema y actitud de vida, como se verá en otros personajes y funcionarios públicos, se da en todas las negociaciones que uno pueda imaginar.

Tal vez, después de la descarada falta de educación que aqueja a esta insigne nación, la corrupción sea el más grave y costoso cáncer que aqueja y cercena a nuestro país desde hace siglos enteros.

Finalmente, y como otra de sus innumerables virtudes, el policía y el funcionario policíaco es en verdad una maravilla como comensal y degluta prácticamente de todo: Tacos, tortas, sopes, tamales solos y en su presentación de lujo *(la guajolota)*, gorditas, tostadas, quesadillas, garnachas, pozole, panza, cervezas, su ineludible refresco de cola, caldo de gallina, chilaquiles, elotes, pepitas, habas, cacahuates... en fin; gran parte de lo que caracteriza a nuestra deliciosa y nutritiva comida mexicana.

El consejo sincero para nuestros lectores, es no acudir a estas dependencias de gobierno para realizar trámites en horas de alimentos.

El problema es que tragan todo el día.

El precio es muy alto y tardado.

87

EL FUNCIONARIO PÚBLICO [PLUS]

Igual de limitado y muy parecido a su colega burócrata antes mencionado, la única diferencia que estriba entre ellos son los rimbombantes y manipulados organigramas que caracterizan a todas las nefastas dependencias de gobierno en nuestro corrupto país.

Sin embargo, esta aparentemente pequeña diferencia propicia cambios y posturas aberrantes, exacerbadas y fuera de todo contexto y proporción.

Petulante y prepotente, este funcionario derrocha un sin fin de materiales, equipo, bienes y poder; los cuales, claro está, bajo ninguna circunstancia están justificados.

Trata de manera denigrante a sus semejantes biológicos *(pareciera que se le olvidaron su propia cuna y origen)*, y no pierde la oportunidad para restregar su poder a diestra y siniestra.

Su cargo de conciencia es tal con relación a su oscura y arbitraria conducta, que tiene todo un aparato de seguridad integrado por cuatro o cinco pelagatos patanes igualmente prepotentes y nefastos que él.

En ciertos casos, hasta las amantes de este singular y gris sujeto gozan de escoltas y guaruras.

Claro que todos estos gastos están contemplados en los presupuestos anuales de las Secretarías y Oficinas Gubernamentales a las que uno se refiera y, por supuesto, también a nuestros obligados impuestos. Este patético sujeto no puede vivir sin ciertos equipos electrónicos, los cuales, según él, lo hacen más ejecutivo y agringado.

Estos son: el último y más novedoso modelo de teléfono celular para él, para toda, absolutamente toda su familia, y para la amante del momento *(da verdadera pena ajena escuchar a estos enamorados en sus conversaciones en cuanto a lenguaje y formalismo se refiere).*

Asímismo, exige la más avanzada y competente computadora portátil Lap Top, la cual en ocasiones no sabe ni cómo utilizar, ya que no habla inglés y nunca se pone a leer el manual aunque venga en español.

Todo esto, además del más sofisticado Bipper para recibir urgentes recados de las amantes y de los amigotes lambiscones preparando la próxima borrachera del viernes.

Otros bienes imprescindibles son: el automóvil deportivo más ostentoso posible; relojes dorados y toscos en exceso, trajes de seda y lino importados, camisas sólo de algodón en las cuales teje sus aberrantes y payos monogramas, sus mancuernas siempre doradas y con perlitas, corbatas de seda importadas que no sabe pronunciar por sus marcas, y otras muchas tonterías que tratan, siempre de manera inútil, de solapar sus complejas y crasas limitaciones como persona y ejecutivo.

Implacablemente corrupto, con dificultad termina un ciclo laboral o presidencial sin haber dejado en plenos números rojos (más bien morados) a la dirección, gerencia o áreas que le tocara administrar.

Marcadamente patriotero, durante el mes de septiembre pone una o varias banderitas de nuestro país en su oficina, se emborracha con nuestro mexicanísimo y casi extinto tequila, y escucha cantar a nuestros paladines intérpretes rancheros a grito pelado como una sincera muestra de patriotismo. Es obvio que desconoce en su totalidad la historia de nuestro país, pero no deja de colocar en la mejor pared de su oficina *(por lo general a sus espaldas)* la fotografía de nuestro primer mandatario en turno, elegantemente ataviado con su banda tricolor y con gestos acartonados de poder, templanza y autoridad.

Académicamente hablando es un verdadero y rotundo fiasco.

En general, y además de la supuesta carrera técnica o universitaria que estudió, y de sus maestrías en el extranjero falsificadas, inventadas o compradas, es inculto y desinformado.

Es señorón, eso sí, en los restaurantes elegantes en los cuales trata de comprar a cualquier precio a las meseras.

Asimismo, es frecuente bebedor y botanero en las cantinas más socorridas de sus suburbios, cliente distinguidísimo *(por sus abultadas cuentas y generosas propinas)* en los cabarets, puteros y table dance, en los cuales por lo menos tiene a una *"niña"* como amante fija.

De igual suerte es un elegante comensal que pronuncia de manera ridícula las cartas francesa, italiana, japonesa e inglesa, y es propietario de departamentos en playas nacionales en los cuales atiende con todo esmero y dedicación sus orgías para cerrar negocios por demás importantes relacionados al bienestar de la patria.

Es, indiscutible y merecidamente, el prototipo perfecto del nuevo rico y manifiesta en todo momento y ocasión su pésimo gusto, su precaria e improvisada educación y burdos modales.

Es, quiérase o no, el que nos gobierna y representa en el extranjero, el que promueve nuestro país y cultura, el que vela por nuestra economía, nuestro empleo y por la dignidad de nuestras familias.

Es, quiérase o no, el que manda y punto.

EL YUPPIE YUPPIE

Este personaje, desde su etiqueta o sobrenombre importado de Inglaterra, resulta en exceso ridículo, snob y pretensioso. Por lo general es bastante frívolo, ignorante y sólo poseedor de algunos conocimientos de su carrera *(Relaciones Internacionales, Economía, Finanzas, Administración de Empresas, Nutrición, Administración del tiempo libre, Sistemas)*, pero fuera de ésta y de algunas estadísticas del fut ball americano o del golf, su mundo intelectual es elegante y perfumadamente limitado y escueto.

Se siente todo un experto en su especialidad profesional, y a la par de enamorar y entusiasmar a chiquillas frívolas, insulsas y materialistas en los antros de moda, resuelve —*a su manera*— la economía del país con posturas similares *(más bien remedos burdos)* de nuestros envidiados vecinos del Norte. Para él, modelos ejemplares a seguir toda la vida.

Su apariencia es impecable, lustrosa y siempre a la moda. Esto le confiere una imagen de vanguardia, poder e irresistible encanto con las Reinitas y Princesitas, a quienes asombra y engatusa con sus absurdas, predecibles y fantoches pláticas de hazañas realizadas en sus reventones de fin de semana.

Su cotidiana y matutina presencia en los gimnasios *(porque él está muy convencido que los músculos van paralelos con la inteligencia y con el éxito en la vida);* representa también una formidable y fresca manera de lucirse y cortejar a sus entusiastas fans.

Perfumado, con su ineludible gel en la cabeza, su camisita blanca siempre 100% de algodón y perfectamente planchada, sus imprescindibles mancuernas, su enigmático y payo monograma, todas sus herramientas de trabajo al cinturón de piel italiana que más bien lo semejan a un operador de la Compañía de Luz y Fuerza *(celulares, Bipper, Nextel, radio localizadores)* y con su maleta deportiva en la que guarda su muda sudada, alguna fruta que mami le puso y su colonia favorita, se pasea y pavonea hasta llegar al estacionamiento en el cual encontrará su lujoso automóvil deportivo que todavía sigue pagando mensualmente, pero que le da satisfacciones indescriptibles por su rapidez y comodidad.

Es todo un experto en gastronomía por la inmensa cantidad de restaurantes que conoce y frecuenta —*principalmente todos aquellos de Polanco, Lomas, Reforma, Palmas e Interlomas*— en los cuales cierra sus importantes contratos, convenios, negocios y asuntos de trabajo.

Pero él mismo sabe perfectamente que más bien son las ocasiones ideales para ver a su fresa y desabrida novia en turno.

A las otras, sus amantes, las lleva a fondas elegantes y restaurantes de la Condesa y de la Roma y a tomar la copa en algún antrito de moda, para terminar en uno de los hoteles a la salida de las carreteras federales de Toluca, Querétaro o Cuernavaca.

93

O sin ir más lejos, llevarlas a cualesquiera de los hoteles de paso de la costera de Tlalpan.

Es sinceramente infiel, ya que necesita comprobar a cada momento su inflada autoestima, gallardía y éxito con las damitas.

Eso sí; buscará con compulsión una muchacha virgen para casarse con ella, llenarla de hijos, comprarle su camioneta de lujo, su casa de campo y dejar de tocarla sexualmente por meses enteros.

Estará muy ocupado con su asistente o la secretaría de su papi, o con cualesquiera de las golfitas que pueda conocer a diario en su exitoso trabajo o en los lugares que frecuenta para socializarse con galanura.

En su oficina es bastante déspota con sus colegas que no tienen el mismo nivel económico y en cualquier ocasión trata de marcar y embarrar su posición y supremacía evidentes.

En ocasiones suele ser brillante, práctico y puede tener momentos de franca inspiración, los cuales traen consigo beneficios tangibles para las empresas en las cuales aporta su conocimiento y experiencia.

También en frecuentes ocasiones —*y como hoy sucede en este ridículo país pseudo neoliberal*— está al frente de puestos y obligaciones que le quedan impresionantemente grandes y sobrados.

Un profesionista con más de 35 años de edad está virtualmente acabado en este país del absurdo.

Ahora lo que rifa y cotiza son estos *muchachitos.com* sin experiencia ni madurez ejecutivas, mascando un inglés texano y al frente de puestos que en países del primer mundo corresponderían a ejecutivos de cincuenta años de edad en adelante.

En fin, otro de los primores de nuestra joven y dinámica nación.

Uno de los manifiestos síntomas de su exacerbada soledad existencial, es su impresionante manera de beber y evadirse a través de las drogas costosas como la cocaína, el éxtasis y el crack.

La marihuana o mota, según él, es sólo para los nacos y huele muy feo.

En cuanto a su gusto musical puede ser bastante flexible.

Va desde las baladas cursis y empalagosas en español o en inglés, pasando por el Jazz —*género que considera le da status*— el New Age, algo de Rock ligero, hasta el mismo mariachi que escucha en estado alcohólico para no olvidarse, nunca, de sus orígenes aztecas refinados.

Suele, aunque por franco alarde y pose, escuchar algunos fragmentos de Música Clásica.

Eso sí, todo aquello que lo relacione con el tercer mundo *(cumbias, corridos, quebradita, música banda)* está casi excluido de su educación y buenas maneras, y si acaso las baila con sobrada torpeza cuando ya está francamente borracho en una boda, o en su discoteque de moda, a la cual asiste con orgullo cada fin de semana como miembro distinguido.

En esencia es una buena persona y con ciertos principios morales, consecuencia directa de la educación opusdeísta de su adorada, empalagosa, chantajista y religiosa mami. Más bien resulta ser chiquiado, voluntarioso, consentido y mimado.

Esto último muy especial en sus relaciones con las mujeres *(desde su mami hasta todas aquéllas que conozca a lo largo de su exuberante y disipada vida).* Tiene una voluntaria y marcada influencia de los vecinos del Norte y también, como sucede con el burócrata y el naco, es asiduo televidente de los partidos de Fut Ball Americano, Base Ball, Basquet Ball, y en ocasiones de competiciones de Tenis y Golf.

Últimamente se le ve muy seguido en las corridas de toros, eventos en los cuales no desaprovecha la ocasión para beber en demasía y fumarse *(otro de los símbolos recientemente adquiridos y de tremendo status, según él)* su puro cubano que acaba más bien masticándolo de manera burda.

Llega a tales extremos de fanatismo deportivo, que acude como puede a los super tazones sin depender el lugar en el que se lleven al cabo, comprando su boleto en reventa y a precios ridículamente caros.

De lo anterior que maneje estadísticas con sorprendente retentiva, exactitud y siempre actualizadas que recopila en sus revistas norteamericanas favoritas y también a través de los inspiradísimos comentarios de los analistas-sabios-filósofos deportivos de nuestras mediocres y grises televisoras líderes mexicanas.

Verle platicar con acaloramiento sobre tal o cual ala izquierda, quarter back, jardinero, pitcher, delantero, etc., resulta en verdad todo un espectáculo por la pasión con la que defiende sus opiniones y amplia sabiduría deportiva.

Muy seguido se llega a juntar los domingos *(en especial cuando se transmite por televisión un evento deportivo de gran jerarquía)* con sus amiguitos yuppies y sus honorables esposas, para echar taquiza y botana, además de las imprescindibles cervezas *(chelas)* y una amplia variedad de tragos.

En ocasiones resulta triste tratar de entender cómo ciertas jovencitas pueden relacionarse con algunos prototipos de machitos adinerados con definidos rasgos de patanes prepotentes.

Lo más curioso y sorprendente del caso es que por lo general estas bellas y candorosas dulcineas en realidad se enorgullecen de su aguerrida pareja disfrazada con jeans, la chamarra que identifica con orgullo el bando y equipo al que se le va, la gorra-cachucha que hace juego con la chamarra, sus tenis finos de marca, y una camiseta con un estampado que más bien le correspondería a un niño de siete u ocho años de edad. En estos eventos domingueros los diálogos y comentarios son realmente de una frivolidad y vacuidad patéticas.

Pero por encima de todo existe la consigna del yuppie de que *"la vida es para vivirla a gusto, siempre, bajo cualquier circunstancia"*.

Cuando suele viajar al extranjero, resulta un turista ideal para el consumismo.

Busca con avidez las discotecas de moda, los bares afamados, las mejores boutiques para hacer su ineludible shoping, los mejores restaurantes, y todos aquellos lugares en los cuales pueda ligarse *(cree que por obra y gracia de su dinero y belleza)* a las oriundas del lugar en el que se encuentre.

Con las gringas se maneja de maravilla, pero con las europeas, en general, se da de topes y no alcanza a admitir bien a bien su rotundo fracaso casanovesco, ya que está muy mal acostumbrado a que las féminas norteamericanas le rindan culto y devoción.

Por ello no acepta que estas mujerzuelas del viejo mundo lo ignoren por completo.

Es algo que no alcanza a comprender ni asimilar del todo. Pero no importa gran cosa, ya que él regresa a su terruño natal y se desquita a plenitud con sus connacionales.

Por supuesto, en estos fastuosos viajes los museos, las galerías, los lugares históricos y de interés cultural del país en cuestión, pasan del todo desapercibidos, ya que él no va a gastar su tan preciado tiempo mirando piedras viejas y monumentos cagados por palomas.

Tiene mejores cosas que hacer, ya que resulta muy costosa su breve estancia allende su adorado país de origen.

La consigna para él siempre es aprovechar el tiempo y el dinero al máximo.

98

No resulta nada extraño que en cualquier esquina, glorieta o plaza del mundo, le llame por celular a su atarantada noviecita para manifestarle su júbilo, amor y cómo la extraña a cada instante.

Llamada que sabe le cuesta mucho, mucho dinero, pero que significa para la embaucada y plagosa escuincla, un gesto maravilloso de ternura, poder y formal compromiso.

Este flamante personaje masculino llega con frecuencia a arrastrar estas conductas hasta edades avanzadas.

Su instinto de cazador nato y exitoso, de remedo burdo de Don Juan codiciado y empresario próspero, lo acompañarán a lo largo de toda su acartonada existencia.

"Juventud, divino tesoro", reza el poema.

Imagínese usted a un viejo rabo verde ciuncuentón tratando de seducir a una chamaquita que puede ser menor de edad que alguna de sus propias hijas...

Un caso en realidad patético, inadecuado y lamentablemente inmaduro, pero que se da en miles y miles de circunstancias diarias en nuestro erotizado país.

En fin, parafraseando de manera indirecta al gran filósofo René Descartes *(el 99% de los mexicanos pronuncian el apellido tal y como se lee)* y en boca y filosofía existencial del Yuppie Yuppie, la máxima a seguir es:

Gozo, luego existo.

LA YUPPIE FRESA

Este personaje femenino por momentos resulta insufrible.

Se considera a sí misma merecedora de todo, principalmente del amor manifiesto de su Dady y muy en especial del amor absoluto e incondicional de su Mami, con la cual muy seguido forma una pareja casi indisoluble a lo largo de toda su vida.

Ya que ambas deciden, más bien Mami lo hace, con quién se casará la yuppie fresa, cuándo, dónde, cómo, le escoge el vestido, el ramo, el velo, el salón de fiestas, las flores, la música, el viaje de bodas, decide cuándo debe tener hijos, casi determina el sexo de éstos, la lencería, las posturas decentes y aceptables para ser practicadas desde la luna de miel, bautiza a sus nietos con los nombres que más le plazca, sobra decir que los hace guadalupanos, decide la decoración de la casa de su hija y casi hasta los métodos de contracepción.

De hecho ésta es una de las díadas más recalcitrantes de nuestra sociedad mexicana en la cual ambas partes son por igual culpables y responsables.

Como esta chiquiona jovencita *(en ocasiones una casi cuarentona en vías de quedarse solterona)* fue sobreprotegida desde su estancia en el vientre, no permite que nada acontezca si no está detallado con claridad en el script existencial de Mami y su familia muégano.

Por ello, que sea tan manifiestamente déspota con la servidumbre de su mansión, con sus compañeras y compañeros de la escuela que no tengan su misma posición económica, y también con todas aquellas pseudo amigas que no sean igual de adineradas, simpáticas y deseadas como ella.

Al llegar a la preparatoria y a la universidad desarrolla una vanidad y frivolidad en verdad deleznables.

Se siente y se vive como toda una princesa capaz de controlar su mundo cercano con sólo imponer los caprichos que le dicta su inmadura voluntad.

A esta edad *(15-19 años),* ya se manoseó con varios amiguitos cariñosos y noviecitos lindos y tiernos a los cuales manipula, chantajea y trata con la punta del zapato *(eso sí, de piel italiana, preferencia Ferragamo).*

Estos atolondrados, calenturientos y envaselinados jóvenes inexpertos se sienten masoquistamente fascinados con el maltrato que les propina esta pretenciosa princesita del Palacio de Hierro, y a cambio de algunas caricias *(en ocasiones acostones acelerados)* le permiten todos sus arrebatos y excentricidades.

Sus relaciones premaritales son más bien cortas y superfluas, y en ellas la princesita va desarrollando y cimentando con solidez su inmenso ego y su habilidad para manipular a los jóvenes, quienes muy seguido la cortejan y desean.

Además de conformar, gracias a ellos, una nutrida colección de peluchitos *(perritos, ositos, gatitos y demás)* que pone por todas partes en su habitación, muy en especial sobre su cama, maquinaria ésta fascinante que produce sus delirantes y hollywoodescos sueños, fantasías y anónimas masturbadas.

Invariablemente, cada fin de semana acude al antro de moda para pavonearse, llenarse de alcohol *(porque hay que señalar que la princesita tiene vicios muy similares a los de Dady)*, tratar con groserías y prepotencia a los meseros que no la atienden con celeridad, pedir botanas extravagantes, y al final, si está de humor y así lo decide, irse a retozar rápido al depa del novio en turno porque ya es muy tarde y Mami puede estar preocupada.

Para esto, ya le ha llamado Mami varias veces a lo largo de la noche por su celular comentándole los pormenores de la velada y diciéndole que la extraña y la quiere mucho.

Claro, cuando está encima del novio desnuda, penetrada y sudando con la cabeza repleta de fantasmas, culpas y cargos de conciencia, apaga su celular para decirle después a Mami que estaba cenando unos taquitos y que la pila de su celular se agotó y por ello tuvo que apagarlo.

Académicamente hablando puede resultar un ejemplar responsable y organizado, quien gracias al sólido ejemplo de Dady y a su obsesión por ser alguien en la vida, ha desarrollado el hábito de la buena lectura, las novelas más exitosas de nuestra laureada Lupita Loaeza, la revista Eres, la revista Caras, el periódico Reforma *(en especial la sección de sociales)*, la revista Hola, la revista Vanidades, TV novelas, la revista Cosmopólitan, la novela del momento de Isabel Allende, y la novela biográfica Marta, entre otras insulsas lecturas.

Su lenguaje es muy peculiar, florido y refleja a la perfección su manera de pensar y de organizar sus ideas.

Expresiones como:

—*Porfis, Para nada..., Estuvo a gusto..., No güey, este chavo está guapérrimo, Esto está de pelos..., No te lo acabas, Haz de cuenta que..., No sé si me entiendas, ¿me entiendes?, La neta güey, Es un oso..., Ni madres güey, Está de hueva, ¿Dónde nos reventamos el fin, güey?, Es una facha todo esto, Estás loca güey, Este güey es un bombón, Vamos a reventarnos, Vamos a ponernos un tapón de esos, Tragué alcohol de a madres güey, Este galán está buenérrimo, Tines (calcetines), Choninos (pantaletas), Abue (Abuela), Padriurris, (muy bien, muy bueno), vámonos de social güey, todo el día corrí y corrí güey,* y otras muchas más que confirman su elocuencia y formalidad.

Ahora bien, como el obsesivo mensaje de Mami, de las escuelas del *Opus Dei* a las que acudió desde siempre *(Regina, Miraflores)* y de su religión impuesta desde el vientre le aconsejan llegar virgen al matrimonio a toda costa, en ocasiones se mantiene así a base de reprimir al máximo su emoción y calentura *(de ahí el alcohol y en ocasiones la coca y mota que consume)*, aunque resulta ser una asidua masturbadora eficaz y habilidosa, y una esmerada seguidora del acto oral y anal.

Eso sí, en su radiante boda, ella se vestirá orgullosamente de blanco haciéndole creer a Mami, Dady, hermanos, abue y tías cercanas, de su virginidad y pureza indudables.

Varios de los ex novios y amigos cariñosos que tiene el descaro de invitar a su boda, se ríen por dentro cuando la contemplan llena de solemnidad y contención en el altar, y recuerdan los seguidos revolcones que le propinaron a la princesita en su casa de campo, en la casa de playa o en el mismo automóvil de ella a una cuadra de su propia casa.

Pero eso sí, el flamante y confiado esposo no sospecha nada y por ningún motivo se le permitirá indagar en lo absoluto con relación al pasado de su prístina e impoluta damisela.

Sería una ofensa inadmisible dudar de ella.

Por lo general esta princesita es recalcitrantemente interesada y pretende vivir por lo menos como su adorada Mami, aunque, claro está, con ciertas reservas.

Ya que la inmensa mayoría de estas Mamis están lujosamente solitas y abandonadas a su pobre suerte *(ver capítulo suegra adinerada)* debido a que sus maridos las engañaron desde el primer lustro de casadas y se fueron a vivir con la secretaria, quien, aunque de un estrato económico infinitamente más bajo y precario, le brinda, por lo menos, más satisfacciones sexuales. O en su defecto, mantiene un gris matrimonio de cerca de 50 años, en el cual no queda ningún vestigio de cariño, erotismo y lo que es peor, ni siquiera respeto.

Esta Mami, para poder chantajear a sus anchas, se convierte en una enfermera arpía de su esposo, y se desquita, de muchas maneras vedadas, de toda la amargura y frustración que le ocasionara su fingido matrimonio.

Debido a lo anterior, la yuppie fresa crecerá con una imagen masculina un tanto confusa y obscura.

Para ella, como para Mami, todos los hombres, absolutamente todos, son iguales:

Unos cabrones degenerados y haraganes que sólo quieren sexo, hacer dinero a costa de ellas y largarse con sus amigotes a las Vegas, a la Habana, a jugar golf, o de table dance con alguna piruja rusa o cubana.

El problema de esta inocente e ingenua princesita es que no está del todo equivocada.

Es cierto que su flamante, regordete, calvo y exitoso joven esposo es así; frívolo, infiel, materialista, inquieto y muy compartido con gente fuera del dulce hogar.

Pero ya es demasiado tarde para hacer algo.

Se tienen dos hijos preciosos de ojos claros *(bendito Dios la parejita)*, una casa por demás envidiable en una zona residencial a escasas tres cuadras de donde vive Mami, una camioneta último modelo con chofer, tarjetas de crédito golden y platinum, ropa fina importada, un puñado de amigas sinceras *(sólo amigas porque el marido mazacotudo como buen macho mexicano es bastante celoso)*, sendos viajes al extranjero cada tres meses, y una siniestra soledad sexual que con los años se irá oxidando lenta e ineludiblemente.

Porque hay que aclarar desde este momento algo crucial; ella no puede tener amantes, ella es decente, de clase, de abolengo, de buena familia...

Ah, tenía tanta razón Mami;

— *"Todos son iguales, son unos cabrones..."*

Pero no importa, la vida continúa y hay que consagrarla a los hijos, educarlos en las mejores escuelas, salir con las amigas al restaurante de moda para hablar de orgasmos desconocidos y de cuántas veces por mes se les montan sus exitosos y ocupados esposos, y cómo están progresando sus hijos en sus clases privadas de equitación, natación y piano.

Sin embargo, en medio de todo este oropel en apariencia deslumbrante, por momentos recuerda llena de suspiros y pucheros a algunos de sus ex-novios y se imagina si su existencia hubiera sido mejor de otra manera, con cualesquiera de ellos, con otra forma de vida.

Para su desgracia, se percata con cierta amargura que no puede salir del marasmo en el que nació y en el que de seguro habrá de morir, porque una de las cualidades de la gente bonita de México es justamente esto; aceptar con estoicismo el destino, cualquiera que éste sea, como una prueba divina que hay que seguir y aceptar a ciegas.

Ya vendrán algunos compensadores extras con los cuales entretenerse y tratar de sublimar la maquillada y enjoyada amargura diaria.

¿Pero por qué no haberle hecho caso a ese novio medio intelectual y bien intencionado con el cual compartió cariño, pláticas, su virginidad, música de Pink Floyd, amaneceres en playas, marihuana y veladas bohemias inolvidables?.

¿Con él, que tanto le enseñó y le compartió, que le leyó poesía cuando estaban desnudos, que tan bellas fotografías le sacara y que tanto le aconsejó para que se alejara de la vida acartonada, pueril y frívola a la que estaba acostumbrada?

¿Por qué no lo escogió?.

La respuesta es una y obvia: Por Mami.

Sí, Mami se percató al instante del escaso capital y del poco prometedor futuro del joven, y del nada grato nivel de educación clase mediera de los papás de éste, y por consiguiente, aunque reconociera que fuera más intenso, inteligente e informado que los demás pretendientes de su adorada hijita, por ningún motivo permitió una relación bajo estas desiguales condiciones, porque de seguro habría llevado a su querida hijita a padecer inmerecidamente miserias, frustraciones y amarguras.

Después de varios pleitos acalorados, de dejarse de hablar por algunos días, de manejar enormes chantajes y de amenazarla con desheredarla si seguía con su estúpido y vulgar capricho adolescente, Mami ganó e impuso su absoluta voluntad sobre la confundida y desorientada princesita.

Ah, queridas mamacitas mexicanas metiches, ¡si supieran cómo joden en ocasiones la vida de sus hijos!.

¡Y de las que se casan con sus hijos!

Pero ya es muy tarde, insisto.

Ahora este ex novio clasemediero *(se entera la princesita por amigos en común)* está prosperando a su manera y por méritos propios.

Está casado con una muchacha de su nivel económico con quien sigue viendo amaneceres, leyendo poesía, trabajando y apoyándose mutuamente a cada momento en medio de discusiones, sexo intenso y seguido, así como algunos planes a futuro inmediato que juntos pretenden lograr con tesón y sincero deseo de crecimiento.

La esposa no tiene ni siquiera coche, se transporta en peceras y en metro, viven en un departamento de escasos 65 metros cuadrados, que los dos pagan a crédito, así como los gastos de mantenimiento.

Pero eso sí, más allá de cualquier idealizado pensamiento tipo american dream of life, su vida es, por lo menos, más intensa, comprometida, productiva e interesante que la de la triste muñequita ricachona frívola y su gordito empresario con vaselina sobre la cabeza.

Ya que ambos *(la yuppie y su esposo)* están, sin otro remedio, en medio de la omnipotente y castrante presencia e influencia de sus respectivas Mamis ricachonas.

Porque también hay que destacar que del lado del próspero regordete aparece la inmarcesible figura materna como un elemento ineludible esencialmente mexicano de supuesto buen gusto y decencia.

Con el pasar de los años, las decepciones y la rutina, la princesita empezará a engordar y a mostrarse cada vez más histérica e irascible.

Se convertirá, sin otra alternativa, en una bruja de cabello corto y sin maquillaje.

Y pese a que por momentos odia y le hecha en cara todas sus desgracias a su manipuladora Mami, no se atreve a enfrentarla y a comenzar *(cerca de los 40 años de edad)* su propia vida.

Dady, por su lado, está muy ocupado, como siempre, haciendo dinero con sus negocios y sólo le interesa recibir a sus nietos los fines de semana y jugar con ellos en el jardín de su casona. Por chismes de amigas y vecinos, la princesita también se ha enterado que su aparentemente apático y aburrido esposo tiene una amante de planta a la que le compró un departamento de lujo en Polanco, y a quien visita por lo menos dos veces a la semana para retozar con ella.

Para colmo de males e infortunio, este descarado mujeriego tiene un hijo con la amante, a quien adora y a quien le dio su nombre y apellido.

Pero todo esto tiene que guardarse en un total e inamovible secreto. Se puede enterar todo el vecindario y los queridos amigos cercanos, y entonces todo sería fatal; la esmerada y religiosa educación y las expectativas de vida se caerían por los suelos y la reputación de toda la familia quedaría en tela de juicio.

No.

109

Hay que callar y aparentar lo más que se pueda.

Hasta el último momento.

Nunca, bajo ninguna circunstancia adversa se puede dejar de ser gente bonita honorable. Aún y cuando por dentro se viva un infierno deleznable e insoportable.

Al crecer sus hijos, muy en especial su hermosa hija, la yuppie fresa repetirá con obsesión la educación que recibió por parte de Mami —*a la cual maldice en silencio*—, y se entrometerá en cada detalle de la vida de su hija, quien como ella misma, en su momento, padeció y repudió.

El círculo se cierra.

La tradición se preserva.

La decencia y la prosperidad triunfan.

Los buenos modales y la educación esmerada prevalecen victoriosos pese a la amargura, la soledad y la deslucida existencia.

Ah, cuánta razón tenía el novio clase mediero...

Pero ya es muy tarde, repito.

Muy tarde.

EL YUPPIE NACO

Como se aprecia desde su categoría o etiqueta, resulta en sí misma una impresionante y lastimera contradicción.

Pese a lo anterior, existen varios de estos personajes quienes día a día crecen en nuestra agitada, peligrosa y contaminada ciudad.

El terreno no podía ser más propicio por toda esta ola de neoliberalismo mal entendido, y por los miles de absurdos comerciales simplones que los medios de comunicación nos lanzan a diario a todas horas y en todo lugar.

Lo que hoy rifa es el éxito económico.

Nada más.

Ni el estudio, ni los logros como personas, ni la armonía familiar, ni la amistad, ni la dignidad, ni la integridad...

Ésas son patrañas bizantinas para el pragmático, audaz e inquieto Yuppie Naco.

Pero también, como se supondrá, éste sujeto arrastra un lastre familiar bastante severo, ya que sus orígenes son por demás limitados y burdos.

Situación ésta que nunca, nunca podrá olvidar y superar a lo largo de su vida por más que quiera maquillar y llenar de oropel sus días, sentimientos y placeres inmediatos.

Siempre se acordará, contra su propia voluntad, de la vulgaridad de su padre, de su deplorable alcoholismo que muy probablemente él mismo heredó, las groserías de éste a todo momento y sin justificación alguna, la manera denigrante en la que trató a su esposa *(la madre del yuppie naco)*, los golpes que les propinó a él y a sus hermanos, las echadas en cara de todo lo que se le dio para que estudiara en una universidad privada y fuera alguien en la vida y no simplemente un comerciante patán y amargado, y otras consideraciones similares que rayan en lo bizarro.

También no podrá olvidar la sincera y aplastante ignorancia de su madre, su abnegación y religiosidad exacerbadas (es muy probable que de aquí nazca su disfrazada misoginia), su servilismo que más bien la relacionan a ésta con una sirvienta dentro de su propio hogar, y otras muchas situaciones que taladran la aturdida cabecita del Yuppie Naco, y que saturan su conciencia y ese insondable llamado de la sangre.

De todo lo anterior que al precio que sea necesario se salga de este oscuro, nefasto y mediocre pasado para ingresar a la felicidad que, supone, trae consigo el dinero y el poder ganados como sea posible.

Decide que antes que nada hay que estudiar una carrera técnica o de las que están de moda por su demanda:

Administración de Empresas, Computación, Informática, Programador de Sistemas, entre otras.

Por si esto fuera poco, obtener un diplomado en el extranjero *(el yuppie naco no puede pensar más allá de los Estados Unidos)*, aprender por consiguiente a mascar el inglés con un acento de negro texano y emprender una ininterrumpida carrera de lambisconadas, transas y oportunismo muy redituable.

El yuppie naco, contra todo pronóstico, puede relacionarse con cierta habilidad con algunos de sus semejantes profesionistas de alto nivel, y muy curiosa pero lógicamente, iniciará una larga, larga, larga campaña en contra de los nacos y de todo aquello que lo identifique con éstos *(pareciera que se le olvidaron sus propias e ineludibles raíces genealógicas)*.

Esto le produce ciertos problemas ya que también sus propios familiares pueden sufrir su prepotencia y desprecio injustificados. Este singular y cada vez más abundante sujeto piensa detenidamente cada acto de su vida, ya que sabe que cada movimiento es de gran importancia para evitar errores que pueden entorpecer su anhelado crecimiento económico.

De lo anterior que sus decisiones amorosas y sentimentales también estén determinadas por un cínico mercantilismo que no genera sino infidelidad, incomunicación y una lenta pero inexorable amargura existencial, acompañada de un arrepentimiento sincero y tardío, vestigio de su sentimental y religiosa educación materna.

Ahora bien, el primer paso a seguir para establecerse con solidez y cotizarse, es contraer matrimonio con una muchacha adinerada y frívola, aunque no se le quiera ni se le vaya a querer a lo largo y ancho de lo que dure esta pactada relación.

Más que una relación matrimonial, llevará al cabo una relación patrimonial.

Como tenaz y definido cazador, el yuppie naco muy seguido escoge muchachas —*él les llama chicas*— inofensivas en su propia facultad cuyos padres pueden ser desde empresarios hasta funcionarios políticos de alto nivel y rango.

En ambos casos el braguetazo está más que asegurado. Lo que sigue, como lógica consecuencia de todos estos planes logrados, será trabajar con o para el idealizado suegro.

Empezar a realizar algunos fraudes pequeños y aprender todo el mecanismo de la corrupción, de la pérdida de valores y de las aperturas de cuentas bancarias en moneda nacional y en dólares americanos. En esta etapa el yuppie naco se siente realizado porque se aleja cada vez más de sus humildes y limitados orígenes familiares, y porque también empieza a consentirse con un carro estrafalario y llamativo, una casona que pagará a 35 años de plazo gracias a la chequera a nombres de su esposa y suegra, afiliarse a un club o gimnasio de *"gente bonita"* en el cual hará religiosamente su ejercicio para sentirse de mejor status, aunque siempre lo desmientan los espejos.

Asimismo desarrollará una definida tendencia por volverse impasible, arrogante y soberbio. Empezará a restregar su poder

114

y su todavía incipiente dinero en cada ocasión que pueda para darse más ánimos y para engañarse casi inconscientemente.

Porque este es otro de los serios problemas que acarrea un yuppie naco: No saber bien a bien a qué clase pertenece y andar como fantasma sin identidad ni responsabilidad asumidas.

Es tan sólo un remedo burdo de varios ejecutivos que él considera exitosos por tener automóviles europeos, casonas de campo y playa, amantes en los table dance, prendas de marca y otras frivolidades por el estilo.

De lo anterior que asuma posturas, estilos de hablar y conductas que no resultan en lo más mínimo congruentes con su origen, educación y credo. Pero el oropel es bastante tentador y hace olvidar —*por momentos*— muchos razonamientos de conciencia que se asoman inesperada y odiosamente a lo largo de su exitosa y súpita trayectoria como hombre de negocios, padre de familia, vecino, y compañero de juegos y parrandas.

Porque eso sí, el yuppie naco sabe muy bien que hay que divertirse a como dé lugar. De lo anterior que beba en demasía cada vez que la ocasión lo permita o él lo pretexte, coma como un rey medieval, y visite con férrea disciplina los puteros más distinguidos y cotizados de la ciudad en los cuales tiene una nena/nalga como amante de planta.

Con una de éstas *(la preferida)* viajará en ocasiones de trabajo y de placer, y ésta siliconada meretriz representará su fiel compañera, su trofeo, su juguete de ocasión.

A la esposa la tiene encerrada en su caserón con los niños que ya le hizo para que no se sintiera sola y descuidada. Con la amante, en cambio, se pavoneará como un dandy inglés, y todos los amigotes lambiscones y rastreros de que se rodea, lo envidiarán y lo felicitarán por su cinismo, valentía y buen gusto.

Cuando el yuppie naco está envaginado con alguna de estas meretrices, es de lo más compartido y caballeroso. Sorprende ver cómo le complace a su querida cualquier capricho que ella demande.

A la esposa e hijos, por el contrario, les lleva chocolatitos o peluches que compra a última hora en el duty free del aeropuerto para que no se sientan ignorados. Siempre anda inventando a su esposa juntas y reuniones a última hora para irse a revolcar con la amante en el departamento de ésta, mismo que él mantiene en todos sus gastos.

Situación que en ocasiones resulta muy embarazosa para ella, la golfa, ya que se le pueden juntar en una misma noche más de dos sementales ávidos y demandantes. Terminada la función y una vez que el yuppie naco llega a su casa *(alrededor de las seis de la mañana)*, exige descansar y que nadie, ni siquiera sus hijitos queridos, lo molesten y le espanten el sueño.

Como a las once de la mañana se presenta en su oficina con una cara desencajada que todos sus subordinados advierten.

Él, con un rasgo de mexicanísima valentía, les platica brevemente *(dos horas)* su *"encerrón"* con su querida, exagerando las cosas y los hechos. Eternas le resultan las horas para irse a comer y tomarse un trago para la cruda que lo está matando y llamarle a su dulcinea para proponer y agendar el próximo encerrón. Es bastante déspota, altanero y prepotente con sus subordinados y no pierde ocasión para mostrarles su superioridad dentro del organigrama. Sin embargo, la vida le guarda algunas venganzas como cuando llega por primera ocasión a algún restaurante lujoso, manejando su flamante vehículo europeo, y el valet parking lo confunde con el chofer de algún ejecutivo o empresario.

Esto, con la costumbre, lo maneja sin ningún problema y en algunos casos hasta pueden producirle una sincera risa, sinónimo de su resignación.

Este yuppie naco siempre está a la moda de acuerdo a lo que le señalan sus revistas norteamericanas predilectas. Por ello, no pueden faltar en su guardarropas sus camisas blancas de algodón, sus mancuernas, sus aberrantes monogramas en las mangas de la camisa, sus corbatas italianas, sus sacos y trajes importados y todo aquello que lo puede relacionar —*inútil y fallidamente*— con el yuppie de buena cuna.

Viajador incansable, colecciona varias cosas estúpidas como carteritas de cerillos, ceniceros, tarros para cerveza, porta vasos y otros absurdos artículos similares.

Un buen cuadro, una escultura, alguna máscara y piezas por el estilo, están totalmente fuera de su alcance e interés intelectual y estético. Como la moda lo dicta, el yuppie naco también fuma puro, tiene su guillotina y su encendedor de marcas reconocidas y acompaña sus cálidas bocanadas no con su whisky favorito *(él es mexicano y recuerda siempre sus orígenes),* de ahí que una de sus bebidas favoritas sea el hoy por hoy mundialmente famoso y reconocido tequila en sus casi infinitas variedades, marcas y presentaciones.

En los deportes, abandonó la práctica del fut ball, el cual ahora le resulta, al igual que el tenis, demasiado nacos, porque no ofrece el mismo status e imagen sociales que otros deportes de moda entre la gente bonita.

Hoy en día, y como una regla inamovible, el yuppie naco juega al Golf como toda una persona bien nacida y de abolengo, y gasta una muy buena cantidad de dinero en utensilios, ropa, palos, pelotas, guantes, zapatos y greens.

Sucede, para su tristeza, lo mismo que con el arribo a los restaurantes finos, suelen confundirlo con el caddie de alguna persona importante que está por llegar a jugar el tan británico deporte. Profesionalmente es muy hábil e inteligente *(mañoso, astuto, audaz)*.

Es transa y oportunista por antonomasia, muy práctico y rastrero, lo cual le posibilita hacer amistades con facilidad y enorme provecho. En esencia no es mala persona, sólo que es demasiado acomplejado.

Con el pasar de los años, se vuelve sedentario, un poco hogareño, y contempla orgulloso el crecimiento de sus hijos y nietos. Ha hecho el suficiente capital para seguir pagando su casona, actualizar sus automóviles y viajar como más le apetezca. También, aunque no quiera reconocerlo del todo, se torna más sencillo; casi tan humilde y discreto como lo fue de niño y adolescente. Lee con regularidad aunque sean sus periódicos y revistas predilectas, se mete más a la cocina a husmear y por lógica consecuencia, duerme más tranquilo.

Le llega en ocasiones un sincero arrepentimiento por como trató y despreció a sus padres y familiares cercanos, y pretende regresar el tiempo para comenzar su vida de otra manera. Pero es demasiado tarde y tiene que resignarse y tratar de justificarse sublimando su culpa en un esmero y entrega total por sus hijos y su esposa; es decir, su verdadero y único patrimonio en realidad valioso.

En esencia, repito, nunca fue malo.

Sólo se dejó deslumbrar por idioteces de inconmensurable frivolidad.

EL UNIVERSITARIO NACO

Este es un personaje por demás pintoresco, debido, entre otras cosas, a las seguidas contradicciones que muestra. Asimismo y por paradójico que parezca, por lo estereotipado de su caso. Se considera a sí mismo una persona en esencia liberal, inquieta, abierta y tendiente al cambio. Es religiosa y fervorosamente izquierdista y politizado hasta el absurdo.

Poseedor, eso sí, de un notorio y escueto brebaje político incipiente y anacrónico, el cual la mayoría de las veces ni siquiera entiende cabalmente más allá de su aburrida perorata continua.

De ahí su etiqueta de *"borrego"* de las masas y de busca pleitos y desmadres insaciable *(porro)*. Es todo un Príncipe de las huelgas y de las manifestaciones.

Un señorón de los paros y disturbios sociales.

Él no sabe bien a bien porqué pelea, contra quién o porqué debe hacerlo...

120

Él sólo quiere pelear, retozar, echar desmadre contra quien sea, en el momento y lugar que sea posible.

La consigna es echar desmadre por el desmadre mismo.

Académicamente es un verdadero fiasco y sólo algunos temas *(de nuevo su ideología política anacrónica impuesta desde pequeño por compañeros fósiles fracasados pseudo anarquistas y marxistas)* le interesan más allá de cualquier compromiso a través de libros, consultas, exámenes y calificaciones. Terminar una carrera universitaria para él es un verdadero sueño innecesario, que lo único que traería consigo sería alejarlo de sus amigotes, de su inactividad y de su manifiesta e irrelevante existencia. Se vería obligado, oh paradoja, a trabajar y a pertenecer al tan odiado sistema por el cual lucha desde su anónima trinchera disfrazada de alcohol y drogas.

Por lo común no es religioso; eso sería una postura aburguesada débil y decadente. Él, en cambio, cree y está convencido de los cambios sociales y aunque parezca inútil, caduco y del todo fuera de contexto, sigue idealizando las perennes, acartonadas y empolvadas figuras del Ché, Fidel Castro, Lenin, Lucio Cabañas, el Comandante Marcos, y alguno que otro oxidado personaje histórico impuesto con base en mítines, huelgas, pliegos petitorios y demás actividades proselitistas que parecieran van en contra del verdadero estudio y aprovechamiento académico.

Siempre viste, casi como un voluntario uniforme y por propia convicción, sus jeans, su camiseta con motivos que van desde el Ché Guevara, hasta algún dibujo animado de Walt Disney, pasando por algún grupo heavy metalero gringo, su chamarra con algún signo necrófilo en la espalda, su imprescindible

121

morral de tela de jerga, piel, o plástico, en el cual carga un periódico de tendencia pseudo izquierdista, alguna circular o pliego petitorio, un libro de poesía de protesta que se maltrata sin ser abierto, y otros documentos de poco valor.

Sus notorios cabellos-greñas los acomoda dulcemente con una dona de color obscuro *(no se vaya a pensar que es un afeminado)* en una gallarda cola de caballo despeinada y sucia.

Todavía no alcanzo a entender porqué se sigue asociando la consciencia política izquierdista con las greñas alborotadas y el desaseo personal, con la falta manifiesta de aseo e higiene.

También, muy seguido y como parte del disfraz requerido, se deja una barba *(piocha)* raquítica y dispareja que lo asemeja más a un personaje del Comité de Mao Tse Tung. Utiliza siempre que puede anteojos tipo John Lennon —*aunque desconozca casi por completo su música*— se perfora una oreja para ponerse una arracada de bucanero defeño, y fuma cigarrillos sin filtro y mota de la más barata y apestosa. Los demás cigarros, en particular los que tienen filtro, son cigarros para burgueses y están contaminados por la enajenación que produce el consumismo yanqui imperialista decadente a través de los medios masivos de comunicación que nos manipulan constante y reiteradamente *(él no sabe utilizar el término norteamericano, gringo, vecino del norte).*

Es un declarado amante del alcohol, la cerveza, el tequila, el mezcal y, por supuesto, de la mota que también lo contextualiza dentro de su medio activista y comprometido. Según él, estar a cada rato pacheco, le da un singular status, poder y congruencia.

Triste, insatisfecho, irresponsable y solitario, busca cualquier pretexto para emborracharse *(ponerse pedo, hasta la madre)*, alivianarse y desconectarse *(darse un toque)* para contemplar el mundo circundante, por momentos más *"chido"*.

Entre sus términos lingüísticos más identificados y representativos están:

—*Psss cámara, nel, compa, está bien efe, ando erizo, buena onda, está bien chido, se debrayó este valedor, este pedo está bien alucinante, está grueso este rollo, pus igual, a güevo ese, está cabrón compa, de poca madre, ni madres, pus qué onda ése, qué finanza mi valedor, ese mi broder, móchate un brazo vato, aliviánate con un gallo campeón, qué transa mi buen, bien importante, bien necesario, desmadre, madrear, se manchó ese güey, se pasó de lanza este valedor, se rayó este compa, pus saca ¿no?, copérate pal pomo, saca pal frasco, pa las chelas, pal toque, pa la ñoña, sí güey, nombre güey, de a madres carnal, un putamadral de moy, es la neta mi buen, verdá de la buena, un guato bien efectivo, está recio el guarhumo, esta mota está muy regañona, qué ondita mi compa, no te pongas roñoso porque te abarato carnal, háblame al tiro valedor...* y otras joyas semánticas más de primitiva invención y originalidad que dan cuenta de su mundo intelectual y verdadero compromiso político.

Amante de huelgas, mítines, plantones y cualquier pretexto para no estudiar ni asistir a clases, también se la pasa por los patios de la universidad platicando estupideces, contactando un toque, desvalijando un auto stereo o simplemente tomando el sol sin hacer nada, perdiendo el tiempo de la manera más evidente, miserable y triste.

Eso sí, al tratarse de alguna queja o inconformidad contra el estudiantado *(sus compas y valedores)* por parte de las autoridades universitarias o por parte del Gobierno, bajo cualquier circunstancia pretexta que no lo dejan estudiar y que él lo único que desea y pretende es superarse académicamente y ser un hombre de provecho en nuestra diezmada y deshumanizada sociedad actual.

Con el pasar de los años puede convertirse en un hacedor de varios oficios, guardando, seamos en parte sinceros, una justificada amargura y frustración por el papel que le tocó desempeñar en su país y en su convulsa sociedad a la que tanto defendió sin ningún conocimiento de causa y sin ninguna recompensa o reconocimiento recibidos.

Seguirá, tristemente y pese a todo, alborotando su espíritu con polémicas y caducas posturas de supuesta izquierda, más que por convicción política, como una única manera de gritar su descontento e insatisfacción existencial.

Su franca, gris, irremediable amargura intransigente.

Quizá pueda dedicarse a la docencia para inculcarle a sus pupilos lo mismo que recibió cuando joven; una serie de mensajes inconexos e inaplicables que sólo lo marginan y eliminan, aún más, de sus ya de por sí reducidas oportunidades en éste nada próspero mercado laboral nacional.

También con el ineludible pasar de los años es posible que acumule el suficiente conocimiento e información como para darse cuenta que estaba equivocado, que lo que pensaba en años anteriores era lo que le correspondía, su verdad, su postura, su única puerta por la cual transitar; pero que la verdad es otra y muy diferente.

Que las cosas por lo general no cambian, que el país sigue siendo la misma amorfa pocilga pestilente.

Se contentará, sin otro remedio, con sus discos de rock pesado, su cantina/bar bien abastecida de tequilas y rones nacionales, su departamento de interés social que todavía continua pagando, sus programas de televisión de toda índole y el encanto discretísimo de lo cotidiano, lo momentáneo, lo efímero.

EL TAXISTA

Este sujeto merece un capítulo muy especial por lo colorido, versátil y folklórico de su caso.

Es, sin más, un personajazo inolvidable.

Es profusamente grosero, rayando en ocasiones en lo barbaján, y se enorgullece de ser un mexicanista recalcitrante.

Fervoroso seguidor de la Virgen de Guadalupe *(casi en cada sitio de taxis de nuestra milagrera sociedad chilanga existe un improvisado altar)*, tiene, ya sea en el tablero de su unidad alemana sedán, o en cualquier lugar posible de ésta, la imagen de la virgen morena para que lo acompañe, lo proteja y le dé más pasaje cada día.

A la par de toda esta infraestructura bizantina o medieval, no pierde ocasión para colgar del espejo retrovisor de su auto un ejemplar del primer par de zapatos de su hijo (a) totalmente endurecido por los añejos orines de la angelical criatura, el polvo y el ineludible pasar del tiempo.

Este peculiar y preciado objeto también funge para él, como una especie de amuleto lleno de magia, encanto y buenas vibras para su protección y para lograr subir más pasaje. Esto no es lo único, de igual manera articula el pedal de su acelerador de maneras en verdad pintorescas como poner huellas enormes de metal de un burdo y salvaje pie humano.

Asimismo y no menos pintoresco, adapta una bola de billar *(la negra del número 8)* haciendo las veces del remate de la palanca de velocidades, un foco de algún envase de crema facial femenina para reforzar interiormente la luz del stop, cortinas debidamente bordadas por su propia madre o esposa que instala en el parabrisas, antenas exteriores dos veces más altas que el mismo carro y rematadas con una sofisticada cola de zorro que lo relaciona con un jinete inglés del Jockey Club, calcomanías de todo tipo *(desde lo más sacro hasta lo más prosaico)*, toda una envidiable colección de conejitos, ositos y demás animalitos de peluche, y claro está, no puede faltar el banderín o la fotografía completa del equipo de fútbol predilecto: El Rebaño Sagrado, las célebres chivas rayadas del Guadalajara...

...o del América.

Eso sí, su salvajismo de carácter contradictorio puede llegar al grado de hacerlo sentirse agredido por cualquier anomalía vial, ante la cual se baja de su auto con un fierro, herramienta o palo en mano, para agredir con sincera furia al que osa molestarlo en sus sagradas horas de trabajo.

Este personaje no pierde ocasión —*más bien siempre la inventa*— para comprarse su botella de 3/4 de brandy, ron o tequila, y brindar por su miseria, su soledad, su marcada incomprensión existencial, porque su esposa lo abandonó, porque su hija pequeña de trece años de edad se casó embarazada de cinco meses, por su hijo vago y drogadicto, porque ya no se puede seguir acostando con su comadre, porque no fue campeón su equipo del barrio... en fin, por cualquier motivo que necesite ser sublimado a través de los humos del alcohol, las carnitas y los cigarros.

Bien a bien todo esto representa un rudimentario festejo a Baco, desde una perspectiva marcadamente azteca.

En cuanto a su estómago, además de estar abultado y grasiento en exceso, es de una flexibilidad culinaria impresionante: tacos, quesadillas, gorditas, tamales, chilaquiles, birria, mixiotes, frijoles, sopes, garnachas, pozole, panza, menudo, mole poblano (su madre lo hace como nadie en el mundo), barbacoa, pipianes, entomatados, menudencias, vísceras, cervezas, refresco de cola, percansas, tortillas de varios colores acompañadas con lo que sea, chicharrón en sus variadas presentaciones, toda clase de chiles, longaniza, chorizo, tocino... vamos, este personaje es la apoteosis misma del colesterol, la colitis, las úlceras, la gastritis, la acidez estomacal, la diarrea, las agruras y otros padecimientos estomacales similares.

Pero él tiene la firme convicción de que con algunos sinceros rezos, reposo y pócimas curanderas de su venerable abuela-chamana, todo mal se cura. Lo más sorprendente del caso es que a su manera le funciona y por ello sigue comiendo porquerías hasta que su organismo literalmente revienta sin mayor remedio. Como conductor es un verdadero salvaje y se siente dueño de las calles y avenidas de la ciudad.

No respeta nada ni a nadie, ni siquiera a su asustado tripulante, quien después de algunas frenadas violentas, vueltas bruscas y acelerones desmedidos, se baja de la unidad aturdido y agradeciendo estar todavía ileso y en una pieza.

Eso sí, una vez que sube a un cliente, este distinguido personaje derrocha conocimiento y sabiduría en torno a temas tan complejos y delicados como la política actual del país, cómo tratar a las mujeres, análisis macro financieros, la falta de seguridad en nuestra ciudad, alguna recomendación para tomar la copa con el compadre, la última corrupción de algunos de nuestros impolutos políticos, un hotel de paso económico y limpio donde llevar a la movida, y los resultados exactos y comentados del fútbol mexicano, del cual es un verdadero seguidor, conocedor y analista.

Todas sus anécdotas son fascinantes por lo inverosímiles y por ese lenguaje tan característico del mexicano en general.

Expresiones tales como:

—*Hay que darle duro y macizo pa´que salga pal chivo, hay que corretear la chuleta a como dé lugar, nos vemos en la base mi compa, está bien floja la cabrona chamba, es que ya no sale ni pal taco, no cargo morraya mi buen, no, pus con queso las tortillas, no se preocupe que llegamos de boleto, nomás agárrese chido, verdá de la buena,* entre otras muchas joyas más.

Cuando pertenece a una base, el lenguaje folklórico se combina con una serie de indescifrables claves a través de sus aparatos instalados en los autos que nos remontan a los más destacados detectives imaginables de la CIA, la KGB, la Interpol, la célebre Scotland Yard, y el mundialmente aclamado FBI, entre otros.

Citemos, quizás, el ejemplo por excelencia:

—Tengo un 40 aquí 23, base 15, con 17 Calzada de Tlalpan en 25 con un 20 base 28 de la 16 hasta nuevo 11, base 40 fuera, 30 con 15. Base.

Esto traducido al español desde la cabeza del taxista sería, casi literalmente: *—Ahorita no me llamen ni me estén jodiendo porque me muero de la puta hambre y me voy a ir a tragar unos pinches tacos ahora mismo y hasta el rato les hablo. No jodan. Base, fuera.*

Poseen, asimismo, un secreto código para nombrar a personas y lugares. A saber:

Madre: la primerísima, Padre: el primerísimo, Esposa: la 139 *(nótese el desprecio por las cónyuges al referirse a ellas sólo por dígitos)*, hermano, hermana: espejo, hijo, hija: cristalito, neumático: la morena, entre otras muchas más.

La música que nos comparte en su unidad este ilustre personaje es en verdad una muestra palpable de su galante gusto y su nivel escolástico.

Una por demás amplia y arcaica variedad de músicas pertenecientes a los géneros de las cumbias andinas y gauchas, el ineludible mensaje macho-filosófico-cantinero de nuestro viril paladín chente, el gallardo y siempre angustiado, llorón y plagoso Potrillo, el romanticismo deplorable y mustio estilo hotel de paso de José al cuadrado, los inmortales compases burdeleros y eróticos de la Internacional Sonora Sanchanera, el aterciopelado y empalagoso arte musical de su adorado galán de la pantalla grande Pedro Inflante, la elegancia, finura y distinción musicales de la Techorito, los histéricos y frustrados mensajes feministas de la primera dama Pita Da Recio, la inocencia virginal de las tiernas canciones infantiles de la niña Tati Anna, el recuerdo cachondo de putero de cuarta que se hace presente a través de las calurosas notas de nuestro ilustre Ringo Tovar; la dulzura y ternura de exquisita cursilería barata de Guanga, los boleros románticos de cantina-bar justo para la hora feliz dos por uno de Charlie Cuevas, entre muchas otras alternativas musicales de similar trascendencia artística.

Como compañero de base es genial, siempre dispuesto para ayudar a su compa de la base en cualquier situación en la que éste se encuentre.

Le fascina agarrarse a madrazos con y por su camarada, o por el simple hecho de sacar su impotencia y furia existenciales.

Le gusta el desmadre sin más ni más.

Lo curioso del caso es que en cualquier ocasión de copas, por cualquier motivo, también se agarra a golpes y patadas con el que tanto defendió, con su querido compañero de trabajo, compadre y además confidente.

Por lo general y como otro rasgo distintivo de su grandiosa mexicanidad, tiene por lo menos dos casas chicas en las cuales procrea hijos como si fuera conejo.

Sus gordas y amargadas esposas-amantes-sirvientas, tienen que complacerle todos sus caprichos culinarios y sexuales al pie de la letra si no quieren ser severamente madreadas.

Él es el Rey *(ya lo decía nuestro insigne y preclaro José Alfredo en una de sus inolvidables canciones antes aludida)*, y siempre hace lo que quiera...

No deja pasar oportunidades de aventuras y encuentros fugaces dentro de sus horas de trabajo y en su propia unidad.

De vez en cuando se sube alguna señora dispuesta a todo y él, siempre con la consigna psicológica de ayudar y de orientar a la gente por esta mundana vida, además de aconsejarla, se la lleva al vapor más cercano y barato para darle una consulta completa y exhaustiva.

Para él, sólo los perros son fieles.

La vida es para tragar, beber, fornicar y defecar.

Una interpretación muy cercana de la que nos legara desde inicios del siglo pasado el psiquiatra vienés Sigmund Freud en sus escritos sobre las zonas erógenas y la ley de las pulsiones de Eros y Tánatos.

Este chafis, chafirete, ruletas, ruletero, como también es denominado, es en el fondo una buena persona llena de ideas bien intencionadas. Sólo que el medio, el trabajo mismo con la inseguridad actual manifiesta y los embotellamientos delezables en prácticamente cualquier avenida importante de la ciudad; así como las múltiples presiones de su propia vida, en ocasiones lo abruman y lo confunden notoriamente.

Hoy, en nuestra cada vez más insegura y peligrosa ciudad del Distrito Federal, el taxi se está convirtiendo en una manera rápida y eficiente para que el pasajero sea asaltado y vejado en lo que le llaman el *"secuestro express"*. El cliente se sube confiado en cualquier lugar de la ciudad, a cualquier hora y a escasas dos o tres cuadras de donde inició su trayecto, se suben intempestivamente dos tipos que empiezan a golpear al pobre y asombrado cliente.

Lo insultan, lo agreden física y psicológicamente y después de tres horas de paseo por toda la ciudad y de haberle quitado todas sus tarjetas de crédito *(una vez ordeñadas)*, sus alhajas, y su dinero en efectivo; lo tiran literalmente en cualquier punto de la ciudad y se largan tan campantes.

Esta es la versión feliz, hay otras en las que el pasaje es golpeado, violado y encontrado muerto después de haber sido atrozmente torturado en algún basurero a las afueras de la ciudad. Claro que estos maleantes infelices no son taxistas. Son siniestros ladrones que se aprovechan de cualquier medio para llevar al cabo sus repugnantes fechorías.

Nuestro personaje en cuestión, el verdadero taxista, resulta ser en general bonachón, dicharachero, ilimitadamente folklórico y bien a bien, un emblema de nuestra tan honrosa, para algunos, nacionalidad contradictoria y heterogénea.

133

NUESTRAS TELEVISORAS

En nuestro flamante, frívolo e ignorante país, contamos, en general, con empresas televisoras de dos tipos:

Las malas y las insufribles.

Nuestra única representación digna en este medio electrónico son los Canales 11, 22 y 40, dirigido el primero de ellos por una de nuestras máximas casas de estudio, el IPN.

Estos últimos resultan ser canales flexibles, objetivos, sin ninguna pretensión intelectualoide acartonada y estéril, y sin esos exacerbados y deplorables manejos de frivolidad, vacuidad y estupidez que tanto caracterizan a nuestras multimillonarias televisoras líderes: Televizca y T.V. Azterca.

Bien a bien este par de monstruos de la comunicación electrónica pertenecen a la iniciativa privada *(aunque estén comprometidas y vendidas con nuestro impoluto y democrático Gobierno)*, y cuentan entre sus utilidades netas cantidades millonarias en dólares que han generado y producido a través de una incansable y pertinaz cantidad de programas insulsos, mediocres, vulgares y del todo alienantes.

Deduzca usted los nombres de algunos de estos estúpidos programas de este par de monstruos de los medios de comunicación que representan un verdadero cáncer para nuestra sociedad ignorante y mal informada.

En ambas empresas hay similitudes impresionantes y sólo se diferencía una de la otra por la morbosa porquería que se achacan a cada momento en una supuesta rivalidad que no va más allá de una dramatización ridícula de las situaciones.

Nunca me he considerado una persona recalcitrantemente conservadora ni vanguardista, pero no acabo de entender desde hace ya varios años, cómo en este país surrealista las golfas, las pseudo actrices, los muchachitos bonitos, bisexuales y fornidos, pueden, pese a su limitadísmo pensamiento y cultura, triunfar escandalosamente escenificando esos bodrios inmundos que denominamos telenovelas *(más bien telenoverlas)*, las cuales a diario tienen pegados a las pantallas del televisor a millones de honorables mexicanos y mexicanas de todas las clases sociales, económicas y, oh aberración, también de todos los niveles académicos.

Pareciera que si estas golfas arrogantes y atrevidas no salieran de sus ridículas microminifaldas y sus escotes haciendo alarde de sus operaciones plásticas, y si por su lado los relamidos y plagosos jovencitos musculosos ojiclaros no hicieran alarde de sus gritos histéricos, sus desaforados celos y estudiados enfurecimientos, todos los papeles histriónicos salen sobrando.

Resulta patético ver trabajar a estas camadas de pseudo actores y actrices, haciendo papeles estereotipados, ridículos y frívolos. Es triste notar lo acartonados que se muestran, lo irrisorio de sus roles dramáticos y trágicos, y ese ridículo glamour de gel, hielo seco y farándula barata en el que se mueven como peces en el agua.

Cualesquiera de estas pretensiosas golfas que haya retozado con más de un productor y se le haya asignado un papel, así sea el más mínimo, se siente como una diva capaz de rivalizar con las grandes figuras de la cinematografía mundial, y se pavonea con unas ínfulas extremas en los antros, bares, restaurantes y fiestas-orgías a las que religiosamente acude para brindar su belleza a sus fieles seguidores (as). Eso sí, en cada ocasión que es entrevistada por algún deslumbrado periodista, hace sobrado derroche de su idiotez e ignorancia mostrando una total incapacidad para sostener una simple secuencia de preguntas absurdas.

Y es que en México no hace falta saber actuar, ni hablar, ni tener estudios de dramaturgia *(esta palabra en su vida la han escuchado)*, simplemente hay que estar muy buena, enseñar las piernas, las nalgas y los pechos lo más posible, contonearse como lombriz frente a las cámaras, besarse, cachondearse, llorar y punto.

Lo demás, es lo de menos.

Esto mismo aplica para los ilustres y galantes Romeos del histrionismo nacional.

136

En cuanto a los escritores y directores que hay detrás de estos mamotretos absurdos y pueriles, pareciera que no pueden escribir correctamente ni una receta culinaria.

Todos los malditos argumentos son iguales:

"El padre es un golfo libertino exitoso y próspero que se acuesta con su secretaria, su asistente, sus amantes de planta y con la mejor amiga de su propia hija; la esposa, virtuosa y abnegada, toma repentina y enfurecida venganza y también se revuelca con un atarantado 20 años menor que ella, pero que al término de la comedia y debido a sus sólidos y bien cimentados valores morales *(principalmente el mensaje de su casta mami)*, decide darle carpetazo al joven calenturiento para regresar con su arrepentido, vapuleado y ridiculizado esposo, quien, a su vez, también es iluminado por la educación que le diera su respectiva mamita, cambiando el curso de su agitada, disipada y desordenada vida para volver a su propia casa y ser un honorable padre de familia rica mexicana.

Todo esto por obra y gracia del borrón y cuenta nueva.

Entretanto, la ingenua, solitaria y desorientada hijita de ellos, termina por acostarse con su insistente y tierno novio *(en ocasiones menor que ella)*, queda embarazada, se va y viene de la casa, tiene al hijo aunque no sepa ni cómo llamarle y acaba casándose con el atarantado calenturiento chamaquito que no tiene ni para la gasolina del automóvil que papi le regalara en uno de sus cumpleaños.

Por su parte, el hermano de esta inexperta adolescente, se sumerge en el mundo de las drogas, de las pirujas, y acaba por contraer sida o alguna enfermedad venérea que pone a temblar a todos los integrantes de la honorable familia. Todo esto en medio de los ineludibles mensajes decimonónicos de las respectivas suegras-arpías, de algún sacerdote quien nunca puede faltar para darle equilibrio ético-moral a todo el dramón, y un sin fin de sirenas de utilería enseñando traseros, pechos y rostros artificialmente maquillados"

Ni el mismo Charles Dickens, con todo su conocimiento de las penas y desesperanzas humanas, hubiera plasmado de mejor manera la problemática existencial diaria de cada uno de los integrantes de una familia mexicana estereotipada. ¿Y qué decir de todos, absolutamente todos nuestros flamantes psicólogos-sociólogos-filósofos pseudo periodistas quienes con sus dulces voces y amanerados desplantes nos dan cuenta y detalle de la vida privada de esta privilegiada gentuza arriba aludida?.

Horas enteras a lo largo de cada día del año para saber quién se acostó con quién, dónde comió tal o cual estrellita del momento, quién se pirateo a alguna de estas personalidades a la televisora de competencia, quién está embarazada sin saber a ciencia cierta del futuro y presunto padre, los interesantísimos planes y proyectos de toda esta lastimera chusma de oropel, y un sin fin de temas recurrentes de una superficialidad en verdad deplorable. Todo esto a la par de análisis literarios para dilucidar los puntos relevantes de los ridículos argumentos e historias de las dichosas telenovelas. Parece que la consigna de estos insulsos programas es el morbo manifiesto y burdo que apena y ofende. No acabo de entender, repito, que las golfas y los amanerados estén dominando a nuestro mediocre y estúpido mundo de la comunicación electrónica e impresa.

138

En todas las predecibles y simplonas telenovelas, en las maquilladas y tendenciosas noticias, en los insufribles y absurdos programas de entretenimiento, en los recurrentes programas de análisis deportivo, en los asquerosos y vulgares talk shows... y en la manifestación más plena, lograda y exitosa de pendejez imaginable que vienen a ser los deleznables Big Brothers en sus insufribles emisiones vip.

¡Ah, mexicanos al grito de güeva...¡

¿Dónde está el sentido común, la sensatez, la discreción?

¿Y qué decir de nuestros ilustres cómicos que bien pudieron darle lecciones de actuación, espontaneidad, creatividad y humorismo al mismo Charles Chaplin?. De nuestro insigne y finísimo paladín de la comicidad uniformado con cachucha *(claro, puesta al revés)*, mezclilla, playeras, tenis y sus consabidas alusiones obsesivas en torno al sexo, al coito, a la erección, al cachondeo, al faje, al pum pum, arribota, vamos, al puritito desmadre, en medio de un monólogo que eclipsa por completo la supuesta lucidez mental del mismo Hamlet de Shakespeare?.

Sí, adivinó, es nuestro querido y preclaro Galán Mamones. ¿Qué de nuestros formales y respetables candidatos a la presidencia que fueron entrevistados en su debido momento por este pilar de la risa para contarnos sus fechorías de adolescentes y promesas de sexenio?. ¡Ah, ah, ah....!

¿Qué de nuestro Payaso Groso, quien continuaba repitiendo lo de hace una década sin ninguna sorpresa ni gracia, y que analizaba y desmenuzaba encabezados de periódicos acompañado de un preclaro séquito de lambiscones y lambisconas?.

¿Y qué de nuestros comentaristas, filósofos, analistas y casi geómetras del balonpié *(fútbol)*, quienes nos hacen reconstrucciones hiperbólicas con metraje, velocidad, inclinación, intensión, efecto *(chanfle)* y demás consideraciones en torno a un simple y desgraciado balón?.

¿Qué del pletórico, cantinflesco y exuberante lenguaje utilizado para darle ese toque tan personal a la contienda deportiva?.

¿Qué de joyas lingüísticas como: —*El brodie, el de cerro azul, el de los Amates, el tiritito, la guarida de los topos, la puso donde las arañas tejen sus nidos, la tuvo, fue suya y la dejó ir, cada quien agarre a su chambelán, cabalga por la pradera derecha, san bombazo, se colgó de la lámpara, este arroz ya se coció, el ovoide se anidó en las redes, la hizo de sexto año, se chorreó el tiro, jugada versallesca,* y las variadas y casi barrocas maneras de manifestar a grito pelado la culminación máxima de este viril deporte, haciendo catarsis de primer nivel, sí, el grito consumado de:

Goooooooooooooooooooooooooooooooooooooooool, gol, gol, gooooooooooooooooooooooooooooooolazo!!

¿Qué de los programas nocturnos al cierre de semana para analizar, casi de manera científica que el mismo Aristóteles hubiera envidiado en su escuela peripatética, cada una de las jugadas buenas y malas de nuestro enano y mediocre fútbol nacional?

No podemos, bajo ninguna circunstancia, pasar por alto a nuestros fenomenales, versátiles y flexibles comentaristas mil usos, quienes de un segmento a otro nos pueden hablar con sobrada erudición y seriedad de temas tan heterogéneos y dispares como la llegada del Papa a nuestro país, de un novedoso proyecto espacial, de un sorprendente hallazgo científico, de un nuevo guiso popular mexicano, de la muerte de algún paladín de la televisión, de la existencia del chupa cabras, y del concepto musical del último disco de Juanga con banda.

Pareciera ser que éstos insignes mil usos del micrófono fueron graduados en cualesquiera de la Universidades inglesas *(Cambridge, Oxford)* por su versatilidad intelectual, prestancia y conocimiento lingüístico manifiesto. Ni qué decir de nuestros programas de corte periodístico-policíaco en los cuales se exacerban las atrocidades de nuestra personalidad nacionalista de tercer mundo.

Los pleitos, groserías, choques, robos, asesinatos, golpizas, abusos, violaciones, demandas, quejas y reclamos de nuestra tan distinguida ciudadanía con casos de la vida real en vivo y en directo.

Claro, con los testimonios de personalidades entrevistadas como doña Jacinta Hernández González y doña Eulalia López Martínez, discutiendo por una cubeta de agua potable:

—Tú fuistes la que te agandallastes mi cubeta... —Estás (piiiiiiiiii), ni madres, tú eres la que me quisistes sosprender pero te la (Piiiiiii). —A ver señoras, por favor díganme quién de ustedes fue la que realmente... —Ya le dije que esta socarrona jija de toda su (piiiiiiii). —La tuya (piiiii). —Señoras, por favor, estamos al aire.

—*A mi me vale madres usted y su (piiiiii) programa, yo lo que quiero y necesito es agua para tragar, ya no digo para bañarme, eso es un (piiiiii) lujo para nosotras.* —*Gracias, volvamos al estudio con más de periodismo de fondo...*

Y así por el estilo.

En verdad uno aprende bastante sobre nuestros orígenes como nación y cada día reforzamos el orgullo de haber nacido en este bello territorio contaminado.

Lo que sí resulta aberrante es el chamaquito cara limpia de tirantes que hace las veces de periodista y conductor de la serie, a quien le ha de importar un verdadero carajo y bledo toda esta gente con sus innumerables carencias y sus problemas diarios.

El jovencito ha de vivir en Palmas, Pedregal o en las Lomas y se baña en tina con hidromasaje. O su morbosa compañera de programa, la oxigenada rubia quien ha de ser su vecina y duerme con edredón eléctrico, tines y pijama de franela con ositos y conejitos estampados, en medio de los peluches que los amantes que ha tenido le regalaron como muestras indiscutibles de sus apasionados romances.

Así de comprometidos socialmente son toda esta clase de programas amarillistas, siniestros y decadentes.

En fin, nuestros programas de televisión no ofrecen realmente nada válido y de trascendencia. Por el contrario, mantienen a las audiencias en un grado de imbecilidad deplorable y lastimera. Reflejo, bien a bien, de lo que la gente desea, gusta y merece.

NUESTROS ILUSTRES INTELECCUALES

Aunque en realidad muy escasos, existen sin embargo algunos sujetos que se vanaglorian de portar esta ridícula y acartonada etiqueta.

Los hay de muy variados tipos.

Comenzaremos con el intelectual ricachón que se jacta de tener una conciencia política comprometida y pragmática, y quien desde el estudio de su flamante y lujosa residencia, traza teorías neoliberales de cambio a la par de simulacros pseudo democráticos, los cuales no van más allá de la pura teoría.

A este singular personaje le encanta salir en la televisión y pronunciar sus airadas demandas y aparentes inquietudes, así como tener su programa de radio para comentar casi cualquier tópico que se le ocurra y que pueda improvisar.

Temas tan dispares e inconexos como el tráfico de algunas avenidas de la ciudad, el futuro de la economía volátil y cambiante en nuestro país, estrategias exóticas de comercio exterior, análisis, casi tesis doctorales de los candidatos presidenciales y sus maquilladas estadísticas y nefastas promesas, alguna experiencia personal simplona y opusdeísta, entre otras ocurrencias.

Lo que sí hay que reconocerle, es que saca espléndido partido de las relaciones y contactos que su papi desarrollara cuando fuera un funcionario priísta corrupto y oportunista, y gracias al arrastre de la gloria de su apellido, anda como quijote de la cultura de aquí para allá. La consigna es aparentar saber de todo, y por consiguiente *(he aquí el desastre)* opinar de lo que se le ocurra.

Hacer negocio con la cultura es uno de sus primordiales objetivos. Cotizarse como un producto altamente competitivo y requerido en el mercado nacional. Hay momentos de franca ridiculez y descaro, en los cuales, por pura ambición económica, participa en la elaboración de pomposos y plastificados argumentos para telenovelas comerciales bajo el pretexto nada creíble de destacar y rescatar consideraciones históricas que a nadie le interesan, comenzando por él mismo.

Sin embargo, el dinero que obtiene de estos mamotretos pretensiosos son bastante redituables y envidiables, y le aseguran, por lo menos, su próximo shoping del año en los Estados Unidos o Europa. Además, el objetivo es estar en el mercado, sonar y ser visto.

Cotizar en los medios impresos y electrónicos es razón y justificación más que suficiente. También es un distinguido y asiduo personaje a cocteles, presentaciones de libros, diseños de joyería, lanzamiento de películas, inauguraciones de restaurantes lujosos, y otros eventos que le permiten la oportunidad para mostrarse en carne y hueso y poder, así, seducir a alguna incauta y atolondrada estudiante ricachona de las carreras de Comunicación, Diseño Gráfico o Periodismo, de la Ibero o del Tec.

Porque eso sí, la honorable y oxidada fidelidad victoriana que pregona en su casa, difícilmente la sostiene en la calle. Ahora bien, dentro de esta categoría de letras y oropel, existe, por lo menos, más de un par de ejemplos de adineradas y honorables Señoras bien nacidas con una educación sentimental decimonónica, quienes escriben con disciplinada constancia toda una interminable serie de tonterías frívolas para la gente bonita de nuestros residenciales suburbios citadinos.

Consejos de buenas maneras, modales y costumbres de un mundo totalmente caduco e ido, recomendaciones compulsivas de cómo lograr status a través del consumismo a la gringa, invitaciones a tomar conciencia de una religiosidad mocha, mustia y fingida, recetas culinarias de la cocina mexicana de las abuelas de alcurnia y abolengo, cómo llevar una casa y familia impecables y decentes, consejos retrógrados y reprimidos sobre sexualidad y la liberación femenina, profundas conversiones bizantinas para ser cristianos ejemplares y cambiar de la noche a la mañana el sentido y valoración de nuestras existencias, y otras fruslerías más por el mismo tono.

Claro, para disimular o disminuir esta franca tendencia pueril y estéril, pretenden también escribir sobre Política, Economía, Psicología, Filosofía, Historia y Relaciones Internacionales, con un estilo más apegado con las sufragistas inglesas de principios del Siglo XX.

En todos los casos, ellas se sienten y se viven como unas sinceras y auténticas intelectuales comprometidas con los cambiantes y agitados problemas de su tiempo y su sexo.

Más allá de sus incondicionales familiares y vecinas de las Lomas, Virreyes, Polanco, Pedregal, la Herradura, Santa Fe e Interlomas, muy pocas personas les creen y menos aún las leen en sus cursis y viscerales comentarios variados.

Se enfurecen *(por citar uno de miles de ejemplos)*, se indignan y acaloran por las injusticias que se cometen contra los estudiantes de la UNAM, pero nunca, por ningún motivo imaginable, sacarían a sus lindas hijitas rubicundas de sus escuelas particulares con asignaturas como Moral, Ética, Civismo, Inglés y Relaciones Internacionales, para llevarlas a esta universidad de nacos sin oportunidades ni futuro. Vamos, su sincero compromiso, aparentemente real y tangible, es del todo ficticio y de escaparate de boutique lujosa de las calles de Homero y Horacio.

Ellas están bastante ocupadas y comprometidas con llevar a la perfección todos los gastos, mantenimiento y embellecimiento de sus residencias de ciudad y casas de campo, alimentar y adiestrar a sus queridas mascotas, y estar siempre pendientes del próximo evento social de filantropía y caridad.

Son intelectuales totalmente Palacio.

Disfrutando de las generosas y jugosas rentas de sus prósperos esposos y de los dineros —*nada despreciables*— que con sus tiernos y cristianos pensamientos, escritos y comentarios generan a diario.

Por el otro lado tenemos al intelectual naco, rebelde, renegado, intransigente, acartonadamente excéntrico y anárquico con su consabido disfraz: colita de caballo o greñas intencionalmente despeinadas, jeans, chamarras de jerga y anteojos a la John Lennon.

Tendencioso izquierdista —*por lo menos de teoría*— odia a la burguesía, a la cual, muy dentro de sí mismo, hubiera deseado pertenecer. La consigna es muy sencilla y simplista: Todos los burgueses son estúpidos, frívolos, destructores de la moral y de la sociedad.

Los burgueses no son auténticos como él, no están comprometidos consigo mismos y con su inexplicable y fantasmagórico país...

Dialécticamente adora y odia el dinero y todo lo que éste propicia en una frenética y neurótica conducta contradictoria.

No quiere reconocer, en pleno tercer milenio, el rotundo fracaso histórico de los sistemas comunistas y socialistas en todo el mundo y se aferra, lastimera y dolorosamente, a una mísera y gris existencia llena de vacío, alcohol, mota y lecturas dispares.

Eso sí, se considera todo un experto en la política y economía nacionales, participando en manifestaciones y escándalos del PRD y de estudiantes preparatorianos revoltosos y haraganes *(porros)*, y no guarda ocasión para manifestar todo su evidente rencor, amargura y sincera frustración a cada momento y pretexto, para airadamente hacerse notar y tratar de impresionar a sus hijos, amigos, vecinos e incautos seguidores.

En cada reunión, fiesta o evento social, no deja de tratar de impresionar a la gente con su perorata memorizada a través de los años y los sexenios.

No deja, también, de aconsejar a las juventudes para que tengan convicción y conciencia propias, para que manifiesten desde temprana edad un sincero y auténtico espíritu revoltoso e intransigente.

Siempre está quejándose de todos y de todo sin hacer nada para resolver situaciones. Aparte de su consabido discurso y de su nula aportación y participación para la resolución de propuestas, cambios y alternativas de toda índole. Lo importante es estar en desacuerdo, ser original, llevar la contraria y mentar madres a diestra y siniestra.

Sólo los años y la contundencia cruda y pestilente de la vida diaria, lo van suavizando hasta que se convierte en un honorable y desconocido cascarrabias inofensivo y casi bonachón.

Pero ya es demasiado tarde, la vida se le fue en un atroz anonimato inaguantable que ni Lenin, el Ché, Mao, Fidel, el subcomandante Marcos o el mismo alcohol pueden aligerar.

Entre estas dos categorías extremistas e inconciliables en apariencia, también hay personajes híbridos que conviven a diario con la contradicción existencial, la carencia de proyecto de vida y una manifiesta falta de personalidad, credo y convicción.

Son de una extraordinaria flexibilidad y descaro.

Se adaptan a todo y cambian de apariencia como ávidos camaleones. Con gran cinismo se hacen llamar gente open mind y pueden convivir y departir, con una supuesta sencillez y talento, con empresarios que se amanecen repletos de cocaína, putas y champagne; así como con valedores banda con mota, chelas y rolas de rock pesado en español e inglés.

En ambos casos lo que en realidad les importa es el beneficio económico o de cualquier índole *(contactos y recomendaciones para trabajos bien remunerados)* con el firme propósito de seguir su trayectoria meteórica ascendente.

Como fácilmente se supondrá, cuando les llega la caída, ésta es atroz y casi irreparable.

Pero nada de esto importa, ellos viven el aquí y el ahora tal y como la vida se los brinda.

Tal y como ellos mismos consideran debe ser.

Todo es relativo, flexible, cambiante y adaptable.

Hasta la conciencia y la dignidad.

FUNCIONARIOS Y ARTISTAS MUSICALES [CULTOS]

Trabajé una muy breve temporada (año 2000), escasos meses, como Gerente General de una de las Orquestas mexicanas de nuestra ciudad con el casi morboso deseo de conocer, tras bambalinas, el quehacer diario de nuestros flamantes ejecutivos, artistas, divas y demás personajes que están, muy lamentable y tristemente para nuestro país, relacionados con la incipiente, mediocre y gris cultura nacional que nos caracteriza allende nuestras fronteras.

Todas nuestras politizadas y sindicalizadas instituciones u organismos culturales poseen el mismo corte, padecen de los mismos anacronismos, de la similar y predecible verborrea burocrática absurda e incoherente, de la memoranda exacerbada, de los urgentes oficios hasta para participar que se va al baño con diarrea, de las juntas extraordinarias de los sindicatos para que los empleados se escapen de sus obligaciones y actividades y pierdan miserablemente el tiempo, de la eterna monserga de que no hay presupuesto para nada *(excepto para las bacanales estilo romano de algunos privilegiados funcionarios pertenecientes al siniestro y enorme gaytto que tanto caracteriza y oxida a este sistema de la cultura).*

150

Porque sí, parece un requisito indispensable el ser gay, lambiscón y no del todo avezado culturalmente hablando, para ocupar uno de estos casi sagrados puestos que se negocian en cualquier lugar, menos en las oficinas.

Bien a bien es el mismo, siniestro y oscuro caso de la política mexicana, sólo que bajo el pretexto de la difusión cultural.

Quizá de lo más patético de este caso sea un pequeño grupo perfectamente identificado de artistas mediocres, amargados, prepotentes y groseros, quienes hacen sobrado alarde de sus ineptitudes musicales en los conciertos y recitales. Pero que resultan —*quizá como un descarado desquite*— una verdadera pesadilla antes de cada evento.

Exigen de todo, se sienten poseedores de la verdad bajo cualquier circunstancia y casi por lástima aceptan participar con tal o cual orquesta, en tal o cual recital, temporada, o concierto.

No pude entender nunca la histeria, incongruencia y altanería de muy pocas pero insufribles cantantes ballenescas quienes más allá de sus familiares cercanos y amigos —*suponiendo que los tienen*— nadie las conoce y menos aún las reconocen como promotoras del bell canto y la buena música.

Pareciera que estas rechonchas señoronas están peleadas con la vida, atascadas de una amargura existencial enorme, repletas de una evidente agresión injustificada y contradictoria con respecto a los dulzones y románticos papelones operísticos que artificialmente ejecutan con una muy buena cantidad de gazapos y notas falsas desafinadas y a destiempo.

151

Pero nada de todo esto importa porque las ignorantes audiencias de nuestra flamante ciudad-capital no se percatan de nada, y al término de las obras aplauden acaloradamente y hasta piden agitadas y todavía extasiadas por lo menos un encore.

El problema es que justamente esta audiencia, en esencia bonachona y cortés, ha hecho creer a estas matronas del solfeo que resultan indispensables para nuestra cultural musical diaria.

También hay más de un par de acartonados varoncitos de todas edades, tesituras y colores, quienes se viven a sí mismos como figuras mundialmente afamadas, y quienes exigen, fuera de toda proporción, sus obsesivas condiciones y ridículos caprichos de adolescentes: *(hoteles lujosos, días de ensayo escogidos por ellos mismos, sueldos desmesurados, gastos de mano, transportación de primerísima, apapachos, etc.)*

Por supuesto que al momento de subir al escenario muestran sus abultadas carencias y limitaciones interpretativas, y más allá de sus gestos y carotas acartonadas, no proyectan gran cosa al público.

¿Qué le sucede a toda esta inflada pelusa artística?.

¿Qué no han escuchado en grabaciones discográficas a intérpretes que en verdad enaltecen las piezas musicales que ellos se afanan en destruir y deformar?.

¿No habrá nadie que les diga su verdadero valor como artistas y personas?.

La triste respuesta es no.

Absolutamente nadie se atreve a decirles a estos mequetrefes artísticos su verdadero precio.

En este medio de la pseudo cultura nacional, la farsa, la hipocresía y el tan mentado manejo de excelentes relaciones públicas *(más bien púbicas)*, se hacen omnipresentes y se perdona toda mediocridad y carencia de talento artístico, a cambio de otros favores que se manejan y conceden en diversos lugares; desde el despacho hasta el restaurante de moda, pasando, por supuesto, por la perfumada alcoba.

Las consecuencias y los resultados son evidentes: niveles artísticos tercermundistas, presupuestos raquíticos y malgastados inútilmente, alarmante derroche de ineptitudes y arrogancias, lambisconeadas con las esferas gubernamentales, un manejo ingenuo y falso de la prensa comprada que magnifica cada uno de los eventos de forma absurda y mentirosa, entre otras lamentables actitudes.

Ahora bien, en cuanto a los funcionarios administrativos, existen algunas gorgonas-gárgolas amargadas de mentalidad gótica que siguen oxidándose en su mismo puesto desde hace ya más de veinte años.

Son casi diosas del sistema y un buen número de empleados sindicalizados les rinden culto y casi veneración. Todo esto bajo una atmósfera de miedo y excesivo respeto obligado que con el pasar de los días produce un herrumbrado desprecio y desdén.

Pero toda persona medianamente inteligente y sensata sabe que estas pobres y ridículas funcionarias están demasiado solas y tristes, y tienen que aparentar esa fuerza y dinamismo que

153

en sus vidas privadas desconocen por completo. Su soledad es aplastante y no pueden siquiera reconocerla y asumirla. Por ello el casi instintivo mecanismo de defensa del ataque desmedido, de tratar de ridiculizar al prójimo y de tratar de imponer y preservar conductas notoriamente intransigentes.

Lo más patético del caso es que de seguro estos personajes dignos de una novela de Dostoyevsky, cubrirán otros veinte años más pudriendo los hígados de algunos músicos, solistas y compañeros de trabajo sin más justificación y remedio que ese patético sentimiento de venganza existencial sordo, efímero y absolutamente innecesario.

Lo que les hace falta a estas medusas de la cultura, es alguien que las acaricie, que las tome en cuenta como personas dentro de su horror existencial y les quite esa aparente seguridad y prepotencia desmedidas que cada día las convierte en individuas más infelices y solitarias.

Algunas no se dejan ayudar y se empeñan en sufrir y en hacer sufrir a sus compañeros de trabajo y a las personas con las que se relacionan a diario.

Con el tiempo, inexorablemente, su autoengaño empieza a apestar y ellas lo saben de sobra.

Ojalá y no sea muy tarde el día en el cual traten de cambiar el rumbo de sus naufragadas y míseras vidas.

Les caería muy bien algunas dosis de humildad, sinceridad y sencillez.

En fin... allá ellas y sus diarios infiernos dantescos.

NUESTROS INSIGNES DIRECTORES DE ORQUESTA

Bajo esta etiqueta artística existe en nuestro país un manojo de personajes de enorme mediocridad musical y humana. Parecen estar cortados todos por el mismo defectuoso y limitado patrón y por las mismas contundentes carencias de sensibilidad y creatividad artísticas.

Simplones, grandilocuentes, romanticoides, altaneramente prepotentes, híbridos de ejecutivos quienes creen que organizar una oficina es presentarse a ella un par de horas a la semana dando órdenes sin ton ni son y exigiendo hasta el más mínimo detalle obsesivo; pretensiosos, groseros, la gran mayoría gays *(porque ya casi resulta un binomio indispensable la homosexualidad y el arte en nuestro esnob y acartonado país)*, con unos complejos desmedidos de superioridad y en general bastante grises como artistas, nefastamente politizados y corruptos como personas.

¿Quién en realidad puede creerles a estos enanos artistas cuando aparecen flamantes y polvoreados al escenario con sus impecables fracks, relamiditos y acicalados como niños de escuela primaria de paga?.

155

¿Quién también podría acaso imaginar todo lo aquí dicho al escucharles hablar antes y después del concierto con tanta dulzura, impecables modales, sabiduría y excedido refinamiento musicales?.

¿Con esa cordial sonrisa oxidada y casi petrificada por el autoengaño?.

¿Quién también, de manera casi inocente, no deja de aplaudirles y atreverse a pedirles un encore una vez que hicieron derroche de errores y falta de estudio y control sobre la orquesta?.

¿Y quién más no regodearse, cuando ellos mismos consideran que su participación fue brillante y regalan piezas con júbilo, magnanimidad, sonrisas y saltos alocados sobre el estrado?.

Esta categoría de singulares personajes presenta varias categorías muy definidas:

El pseudo izquierdista de colita de caballo casi calvo que más bien semeja ser un integrante de una banda heavy metalera de Tijuana o un destacado participante del CGH, el greñudito de bucles rubios y alborotados que acentúa aún más su ya descarada falta de hombría y aires amanerados con saltitos y desplantes lastimeros, el intolerable hiper mega ultra súper macro neurótico que raya en lo verdaderamente patológico y quien puede mentarle la madre en pleno concierto tanto a una señora como a una mosca, tratando de matarla a toda costa porque lo distrajo por segundos con su insoportable zumbido.

También está el incansable garañón más bien viejo, quien extorsiona insistentemente a todas sus alumnas y damitas que quieren estudiar música exigiéndoles a todas *(especialmente a las muy agraciadas)* que le brinden sus servicios y favores sexuales a cambio de una educación musical lamentable y mediocre, y de un puesto insignificante dentro de su nefasta e inadvertida orquesta.

No se puede ignorar por ningún motivo al clasemediero con aspiraciones desmedidas que dio tremendo y estrepitoso braguetazo casándose con una ricachona hipiosa, el cual se vive y siente *(por obra y gracia de su familia política y de los innumerables caprichos y chantajes de su mimada esposa)* todo un yuppie privilegiado, bien nacido y codiciado a nivel internacional.

Resulta un personaje obsesivo y meticuloso hasta rayar en lo patológico. También resulta ser un perfecto prototipo Don Juanesco embarazador y seductor.

Es, asimismo y gracias a los presupuestos anuales de la propia orquesta que mediocremente representa, un viajero incansable y a cada momento y lugar trata de comprobar todas sus inmensas carencias existenciales a través de un aparente y nada creíble control de sí mismo, y de todo lo que su supuesto genio, poder y gracia generan.

No puede faltar como un insigne símbolo del inventario y testimonio del todo caduco de la Nación, la figura-emblema-institución quien pese a su edad, se atreve todavía a presentarse en los escenarios repitiendo sus estruendosos fracasos y sus nefastas y cursis interpretaciones romanticoides y empalagosas.

El caso es que la gente le brinda un enorme respeto porque él, bien a bien, ha sido testigo del devenir artístico de nuestro país, y ha propiciado con su aparente talento y con la consabida experiencia acumulada a través de las décadas, una sabiduría musical envidiable.

Ah, si el público realmente supiera...

Aunque muy raro de ver, también existe el anárquico, inconforme y rebelde quien en cuanto osa protestar por cualquier insignificancia contra las totalitarias y casi divinas autoridades de CONACULTA o del INBA, es despedido, vetado y casi exiliado del país. Claro, después de cierto tiempo de castigo y como una lección inolvidable, estas inútiles y corruptas organizaciones pseudo culturales de nuestro kafkeano país lo perdonan y le permiten seguir mal interpretando partituras sin ton ni son.

Por supuesto que también está el que pese a tantas y continuas críticas y chiflidos, insiste, se aferra y se anima a dar, con un atrevimiento de desmedida inconsciencia, ciclos integrales de las obras sinfónicas de compositores tales como Gustav Mahler, Dimitri Shostakovich y Jean Sibelius, en las instalaciones de nuestro sacrosanto y multifuncional Palacio de Bellas Artes. Ya se supondrán los resultados.

Finalmente y quizá el más siniestro e innecesario de los casos, es aquél que sabe perfectamente bien que no tiene nada, absolutamente nada qué hacer en el mundo de la música pero le vale madres y se impone pese a todo y a todos jactándose de ello. Su padrino es lo suficientemente poderoso e influyente para que él continúe haciendo estupidez tras estupidez mientras dura el sexenio.

¡ Ah, mexicanos al grito...¡

Pero no todo es tan espeluznantemente obscuro y desolador.

Una cosa que sí hay que reconocerles a varios de estos personajes insufribles, es su definido y pragmático interés para hacer dinero a costa de casi todo lo imaginable, aunque en ocasiones no tenga que ver nada con la Música ni la cultura.

Negocian, por ejemplo, grabaciones en discos compactos de obras que ni ellos mismos escucharán en su propia casa; argumentan pretextos oficializados y absurdos para rescatar del merecido olvido a un insigne compositorcillo de pacotilla que brilló por su ausencia en su época, pero que políticamente es importante desenpolvar para quedar bien con algún figurón corrupto gubernamental; planean obsesivamente realizar viajes y más viajes a donde sea posible para llevar allende nuestras fronteras la mediocridad musical que lamentablemente sólo da lástima y una imagen por demás deplorable.

Evidentemente, y como una constante de patriotismo nacional, no pierden oportunidad *(coyuntura para ser más formales)* en adjudicarse los presupuestos asignados y destinados para la contratación de músicos extranjeros y las becas de estudiantes mexicanos para estudiar fuera de nuestro país; y utilizarlos y desperdiciarlos en grabaciones de mamotretos musicales sin ningún valor artístico con los cuales llenarán los libreros y estantes de sus casas. Terminarán regalando dichas grabaciones a quienes se dejen sorprender, porque de otra manera no los adquiere nadie.

De igual suerte y como espléndidos publirelacionistas que pretenden ser, organizan festivales derrochando hasta lo que no se tiene para promoverse ellos mismos en nuestros desapercibidos, intelectualizados y rígidos canales televisivos de la cultura, y en nuestros pseudo comprometidos e imparciales diarios bajo la pluma de algún lambiscón previamente pagado y comprado con una comida-borrachera-table dance, quien escribirá todo de lo que se le pida como si se estuviera refiriendo realmente a un acontecimiento musical relevante.

Por último, pero no menos deplorable, también están todos aquellos gastos innecesarios de los choferes —*en ocasiones hasta guaruras*— celulares, bipper, regalos, en fin, todo el show bussines del absurdo. Si por lo menos estudiaran e interpretaran las obras con decoro, tino y conocimiento musical.

Si tan sólo reconocieran sus abismales limitaciones y carencias y fueran más sencillos, humanos, modestos. En fin, soñar no cuesta nada. El escuchar interpretaciones nefastas sí.

¡¡¡ BAJAN !!!
[aventura urbana cotidiana]

Una de las más singulares, incómodas y folklóricas aventuras que uno puede tener en nuestra contaminada y sobrepoblada ciudad, es la de viajar en cualesquiera de las microbuseras que incansablemente transitan contaminando, provocando accidentes y transportando a millones y millones de mexicanos todos los días del año. Es casi ineludible que al subirse uno a éstas, por lo general destartaladas unidades, se constaten por lo menos estas reglas:

1.- Música del género cumbia andina y gaucha a todo volumen,

2.- Ni un sólo lugar disponible,

3.- Una peste insoportable.

No sé en realidad qué tengamos en común con los colombianos además de también ser tercermundistas, pero parece que musicalmente somos hermanos. Existe un fervoroso culto por las burdas, primitivas y cachondas cumbias que resultan todas iguales, simplonas y de una calidad musical deleznable.

El sonsonete es repetido hasta la saciedad, las letras parecen ser escritas por un niño de sexto grado de primaria, y los temas siempre son los mismos: el gañán arrepentido y arrastrado porque su querida *(nunca la esposa o la novia)* lo abandonó por sorprenderlo con otra, la irresistible soledad de este gañán al encontrarse desamparado en el mundo teniendo, sin otro remedio, que aligerar sus penas con el baile, las putas y el alcohol, la zorra perversa que rompió el corazón de un ingenuo chico que confió en ella, y algunas descripciones de romances y reconciliaciones en hoteles de paso al calor de copas, besos y caricias.

Parece que el problema es de carácter hereditario, ya que todos estos valedores que manejan las microbuseras gustan de la misma siniestra música.

Resulta todo un espectáculo encantador verlos sentados en unos asientos diseñados por ellos mismos en los cuales más bien van recostados y viendo las calles a través de un ridículamente diminuto volante, haciendo bruscos cambios de velocidades con unas palancas que en ocasiones les llegan casi a la altura de sus hombros, frente a tableros que no indican absolutamente ningún nivel de aceite, gasolina, temperatura, batería, pero eso sí, repletos de calcomanías y alambres de todos colores sin ninguna utilidad.

Estos curiosos personajes suelen poner en los parabrisas de sus unidades, enormes rótulos en extravagantes y casi ilegibles tipografías con los cuales ellos mismos se definen y distinguen de esta nutrida y simiesca población de choferes.

Nombres tan ingeniosos y originales tales como: perverso, aventurero, bandolero, villano, travieso, enamorado, letal, soñador, Faraón, Bandido, y otros muchos más de corte similar.

Con frecuencia resulta una verdadera delicia ver estas etiquetas escritas con ingenuas faltas de ortografía.

Los flamantes y lozanos conductores *(en ocasiones no llegan a tener más de diecisiete años de edad)* muestran similitudes asombrosas entre ellos.

Entre otras características, cabellos muy pegados en la parte superior de la cabeza y dejando caer abundantes cascadas a partir de las orejas que pueden llegar incluso hasta los hombros. Muy seguido se acompañan del pareja, quien colgado literalmente de la puerta delantera como un hábil macaco, va haciendo labor publicitaria a grito pelado indicando el destino del trayecto para invitar a subir más pasaje.

Resulta fascinante cuando ambos camaradas platican con una sincera grandilocuencia sobre el último guateque en el cual se pusieron un pedo endiablado y acabaron a madrazos con sus propios vecinos de la cuadra por discutirse a la putita del barrio.

O el caso no menos enternecedor, cuando llevan en la unidad a alguna damita que están cortejando y la sientan detrás de ellos. En estos casos toman poses ineludibles, ya que son groseros e indiferentes con ella y conducen como salvajes para demostrarle su virilidad y arrojo.

Para hacer más romántica la atmósfera, ponen música de Juanga, los Bukis, los Temerarios o José José, con lo cual subliman todas sus emociones amorosas reprimidas y manifiestan abierta y contradictoriamente, que no están dispuestos a perder su preciada libertad por una simple nalga, y que ellos son

163

aventureros y gallos bravos como los personajes de las canciones y películas del adorado Chente.

En cuanto al pasaje, es de una asombrosa variedad que raya en los mejores personajes mitológicos de Tolkien y su saga fantasmagórica de la Tierra Media. Honorables señoras de 1.50 metros de altura y ancho, llenas de bolsas del mandado y cargando a un chiquillo todo cagado y llorón.

Claro que estas gladiadoras del circo azteca no se han bañado en una semana, y ocupan cerca de tres lugares aplastándose sin ninguna intención de moverse en lo más mínimo. Cuando van acompañadas de su comadre, vecina o *"manita"*, resultan diálogos de una insuperable elocuencia casi platónica;

—No comadre, agarra y le digo a mi hija que no haga eso, le digo y me dice que qué me importa dice y yo le digo, no, digo está muy mal que su novio de ella se ande acostando con ella, le digo y agarra y me dice que no, dice, yo sé lo que hago y es mi vida mía y de nadien más, me dice y le digo que no sea tan inrrespetuosa y nada, me dice, que no hará nada, dice, por cambiar nada, así nomás agarra y me dice...

—Ay comadre, qué quiere que yo misma le diga...su hija mayor de mi otra comadre, Juana, la que vive cercas de su casa de Lupe, allá arriba al mero fondo de la cuadra, también está en la misma. Y yo agarro y le digo así como usted que no está bien, le digo, pero ella agarra y me dice que también es su vida de ella, dice. Creo que ya encargó esta chamaquita otro chiquillo y creo que ni sabe de quién es, dicen que es de su propio primo de ella, vaya usted a saber, sólo Dios sabe le digo...

164

También está el perfumado burócrata que siempre llega tarde al trabajo y se nota preocupado. Quisiera que el chofer se fuera por las banquetas aunque atropellara gente para llegar temprano y no acumular otro retardo y otra suspensión. Sin otro remedio se distrae por momentos leyendo su periódico deportivo en formato tabloide, el cual devora con una avidez pasmosa.

Él sabe mejor que nadie que tiene que estar bien enterado de los resultados de su equipo favorito y de lo que hace —*más bien deja de hacer*— su selección tricolor en las versiones profesional y sub 23 *(ambos casos son igualmente mediocres y grises)*. Esto será el tema de conversación de por lo menos las primeras dos horas del trabajo con sus compañeros.

Porque eso sí, él es el perfecto ejemplo del síndrome de las ocho; es decir, llegar casi puntual a las ocho de la mañana de lunes a viernes para que toda su familia crea —*hasta él mismo por momentos*— que es un buen trabajador responsable y cumplido, y comenzar realmente a laborar alrededor de las diez y media de la mañana después de ir a desayunar, acompañar a la compañera-amante a su piso, defecar y enterarse de todas las noticias importantes del día.

Este es el personaje que entreteje su cadenita de chapa de oro florentino que pagó a crédito entre su muñeca y su reloj dorado, también, claro está, a crédito, usa zapatos de punta con calcetines blancos, nunca viste traje completo y muy seguido porta suéter de rombos con corbata.

También está el chavo banda valedor que va a la prepa según él a estudiar. Peinado casi a rape y sólo dejándose en el copete unos pelos tipo púas que endurece con gel *(en ocasiones*

165

de colores rojo, azul, verde, amarillo), vistiendo una camiseta tres o cuatro tallas más grande con estampados diversos y multicolores, pantalones enormes que le arrastran y por lo cual están totalmente roídos, tenis estrafalariamente aerodinámicos, varios collares de piedras de buena vibra hasta calaveras y flores de marihuana de alpaca, y si bien le va, sus head phones para escuchar música del tri o de molotov a todo volumen.

Este mismo y distinguido sujeto también se deja ver en las universidades, en especial en los debates políticos e intelectuales de la UNAM, formando parte destacada del distinguido CGH.

Una de las constantes de todos estos personajes al estar arriba de la microbusera *(y prácticamente en cualesquiera de los transportes colectivos)* es que se amontonan en las puertas de entrada y de salida dejando amplios y codiciados espacios en la sección de en medio a los cuales uno nunca tiene acceso.

En ambos casos tiene uno que luchar y jalonearse para poder bajar. Algunos se molestan y lanzan injurias por haber sido molestados, otros, como si fueran reses a mitad de carretera, no se quieren mover por nada.

En fin, otro toque más de nuestra supuesta cordialidad universalmente reconocida que tanto nos caracteriza. En cuanto al diseño de las unidades automotrices, son en verdad espeluznantes y nada funcionales.

Por principio de cuentas las puertas son muy pequeñas y tiene uno que atinarles para subir dos diminutos escalones en medio del acelerón que el chofer propina al ver que uno pone una pulgada de sus pies sobre la unidad.

Él da por hecho que ya estamos adentro y acelera como si llevara bueyes y vacas.

Una vez arriba y después de algunos golpes con el tubo vertical de la entrada, uno se percata que la altura del techo fue diseñado por Liliputenses *(Los Viajes de Gulliver)*, ya que se tiene que ir prácticamente agachado. Dentro del constante jaloneo se sacan las monedas sin atinarle a la mano del valedor que tripula.

Salvado esto, uno quisiera adentrarse en medio de la unidad, pero como se comentó hace un momento, hay varias reses de caras largas, impasibles e indiferentes que ni siquiera se dignan a mirarlo a uno.

Si es el milagroso caso de que haya lugar, uno puede escoger desde los que supuestamente son para dos personas y en los cuales nunca se pueden estirar las piernas.

De nuevo los liluputenses hicieron de las suyas.

Si se comparte el asiento y queda uno del lado del pasillo, más de medio cuerpo queda fuera del asiento y conviene más permanecer de pie.

En el caso de que le toque a uno el asiento sobre las ruedas traseras, al sentarse uno las rodillas le quedan a la altura de la propia barbilla.

Para la bajada sucede lo mismo.

Hay que moverse como se pueda, empujar más reces para que permitan el paso y hacer malabarismos para atinarle al

167

timbre que pareciera se esconde entre el poste vertical trasero, el techo, o cerca de una de las ventanas. En el trayecto a la puerta, uno puede ser manoseado, robado o simplemente empujado para dificultar aún más el descenso.

Tan rápido como uno pone la punta de los zapatos al aire, el valedor que tripula la unidad da por hecho que ya estamos caminando sobre la banqueta y acelera brusca y confiadamente.

Después del consabido grito: *¡¡¡ bajan !!!* o del salto gimnástico, y ya una vez abajo, libres de la peste, la cumbia andina, el no haber sido asaltados, manoseados y demás, uno puede dirigirse anónimamente hacia su destino con más tranquilidad y holgura habiendo vivido una experiencia inolvidable y cotidiana.

EL METRO

Digamos que uno ya bajó ileso de la destartalada microbusera y se dirige a tomar el sistema de transporte colectivo por excelencia: el metro.

Imaginemos, también, que es una estación terminal. De inmediato puede uno percibir una sensación de aglomeración, basura, fritangas, peste y desorden por todas partes. Vista desde arriba toda esta área, semeja ser un lugar inhóspito y sobre poblado de alguna de las películas de Mad Max. Decenas y decenas de microbuseras moviéndose, estorbándose y escupiendo pasaje a diestra y siniestra.

Diálogos entre los choferes que el mismo Lovecraft hubiera envidiado para cualesquiera de sus personajes monstruosos, un olor a carnitas, tamal, tripa, gordita, cebo, basura, quesadilla, meados de perro y de humano, diesel, balatas, charcos con desperdicios de fritangas descomponiéndose, periódicos deportivos, deportivos y deportivos frente a los cuales hay parados y estorbando veinte o más sujetos para enterarse de los resultados de sus equipos favoritos, vendedores ofreciendo de todo: rastrillos, chocolates de diversos tamaños y sabores,

169

churros, tortas, pilas, lámparas, lupas, plumas de cinco colores, revistas de crucigramas, juguetes, chicles, libritos de matemáticas, navajas multiusos, agendas ejecutivas, diarios, crayones, periódicos de izquierda por cooperación voluntaria... entre otros muchos productos.

Estos son los puestos ambulantes; hay que tener en cuenta todos los puestos semi establecidos que venden muchos más artículos de toda clase.

Justo a través de estos improvisados puestos tiene uno que caminar siguiendo colas de personas que continuamente se detienen para ver algo que nunca van a comprar. Una vez que logra uno llegar a las escaleras de la entrada del metro, se experimenta una cierta tranquilidad y certidumbre de que se va por el camino correcto.

Justo en estas escaleras se encuentran personas de distintas edades pidiendo limosna en estados de miseria realmente deplorables. Por fin se llega a la cola de las taquillas. Por lo general atrás de dichas taquillas están señoras inmutables que no responden a ningún llamado. Como autómatas, simplemente dan los boletos y sacan de la ventanilla sus regordetes dedos para recoger las monedas. Parecen una especie de esfinges egipcias con máscaras tarascas inexpresivas.

El caso es que ya con los boletos uno se siente más tranquilo y por momentos hasta optimista. Al momento de llegar por fin a las plataformas, uno se forma o se acomoda con disciplina en el lugar en el cual se piensa va a quedar la puerta de uno de los vagones del tren.

Poco a poco empiezan a llegar más y más sujetos que se acomodan como pueden y se les antoja. Justo al momento en el que llega el tren y se abren las puertas, estos casi animales se empujan entre sí y entran como salvajes sin importarles quién llegó primero. Ya una vez adentro y aplastados en los asientos, sonríen estúpidamente como bestias satisfechas de su astuta conducta. Según ellos fueron más hábiles e inteligentes y por eso siempre se van sentados. Uno es el idiota que supone que hay que ser civilizados y ordenados para hacer cola y respetar la llegada de cada pasajero.

Esto en México es una verdadera aberración; no se puede ser educado ni civilizado, ya que se toma como sinónimo de pendejez, lentitud y hasta cobardía. En fin, pertenecemos, queramos o no, a la inmarcesible cultura del gandalla. Supongamos que uno pudo sentarse. De nuevo puede tocarnos a nuestro lado otra de las citadas gladiadoras, de los musculosos gañanes o del insufrible burócrata altanero.

Una vez más se tiene uno que echar toda la mercadotecnia aplicada al transporte y volver a escuchar las ofertas de varios e inútiles productos. Pretende uno poder leer concentradamente cuando de pronto una voz fingidamente chillona y estridente irrumpe con mensajes similares a este:

—*Mire, artículos de calidad le trae y le viene ofreciendo esta maravillosa oferta linda pluma multiusos de varios colores mire para que no pague más en otro lugar le traigo esta pluma de varios colores le vale cinco pesos le cuesta cinco pesos llévela ahora la pluma de varios colores le cuesta cinco pesos le vale cinco pesos mire es suya por sólo cinco pesos productos de calidad le ofrece pluma de varios*

171

colores para la casa la escuela el trabajo la oficina para
cualquier ocasión mire le cuesta cinco pesos le vale cinco
pesos llévela...

El vendedor (a) y su particular voz lentamente se pierden al salir del vagón y dirigirse al contiguo. Uno supone con ingenuidad que ya podrá leer más o menos con tranquilidad. Iluso deseo. De inmediato empieza uno a escuchar los siniestros y cursis acordes de alguna de las baladas de hotel de paso de nuestro insigne Príncipe de la canción en voz de un pobre invidente quien acompañado de su bastón, de su teclado y amplificador, empieza a interpretar —*a su manera*— a este ilustre y populachero paladín de la canción romántica mexicana del último tercio del siglo XX. Imagínese con la gran cantidad de personas dentro del vagón y como una tendencia cultural de nuestra nación, siempre amontonadas en las puertas, y este desdichado cantor tratando de expresar su habilidad artística y de abrirse paso a través de esa masa amorfa y pestilente que diariamente y por millones, ocupa todas las líneas del transporte colectivo por excelencia en nuestra inhóspita ciudad.

Con lentitud manifiesta, pasa frente a nosotros este desafortunado trovador, acompañado de otra persona en la misma triste situación, quien llevando en el brazo un vaso de plástico recolecta las escasas monedas que se les dan.

Porque otro aspecto que hay que destacar, es que el mexicano en general es indiferente a este tipo de situaciones. Es falsa tanta estupidez esquizofrénica que trata de mentir, a partir de los terremotos del 85, sosteniendo que somos una sociedad unida, cordial y atenta. A la par de todo esto y hasta no llegar a estaciones en las cuales se transborda, la gente empieza a abarrotar el vagón.

El aire —*de por sí bastante falto y enrarecido*— escasea y un sentimiento de claustrofobia nos invade y quisiéramos salir lo antes posible. Pero no, uno tiene que manifestar su templanza, madurez, estoicismo y la total resignación por vivir en esta ciudad.

De hecho, para sobrevivir no sólo en esta ciudad sino en este país de caricatura existen básicamente cuatro posturas posibles:

1.- Aceptarlo tal cual es y lo será sin ningún remedio posible.

2.- Reírse de la situación y tratar de sacar el máximo provecho.

3.- Maldecirlo y amargarse irremisiblemente.

4.- Dejarlo tan rápido como sea posible.

Ante todo lo anterior, al diablo la lectura y las intenciones de aprovechar el tiempo mientras uno se transporta a su trabajo. Todas las caras se evitan, los ceños se fruncen, los olores se exacerban... y allá, lejanos y débilmente perceptibles, se empiezan a escuchar los tonos chillones y lastimeros de otro vendedor.

—Mire le traigo de productos especiales internacionales una oferta única para usted que no debe desaprovechar mire es la gran navaja multiusos para cualquier ocasión, para ese regalito, presente, detalle, mire, le cuesta sólo diez pesos le vale diez pesos para la damita el caballero para cualquier ocasión mire le traigo la navaja multiusos...

Al momento necesario, se levanta uno y se empieza a acercar como se puede a través de la masa arriba citada. —*¿Va a bajar?*

—*Sí... Con permiso, permisito, dame chance maestro, a ver valedor ahí te va, bajan...*

Una vez frente a las puertas, se prepara uno para recibir a otra masa igualmente amorfa y pestilente que entrará como si fueran bueyes en estampida sin ninguna muestra de civilidad y educación.

El caso es simple: ellos o uno.

Vengan los empujones, venga el salvajismo y chingue a su madre quien sea. Uno aprende, madura y se vuelve un ciudadano gandalla, es decir, a la mexicana.

Por fin, después de salir del vagón, uno se encamina hacia la otra línea. Particularmente las estaciones de transborde son patéticas, apestosas y saturadas de gente, negocios, olores de meados, comidas variadas *(pizzas, tortas gigantes, hot dogs, hamburguesas, tacos de canasta, refrescos, pan de dulce, jugos, sincronizadas, sandwiches),* en fin, todo un verdadero y asqueroso mercado sin ventilación, higiene ni orden.

La falta de aire respirable y el calor resultan abrumadores y uno lo que más desea y requiere es salir a la calle y respirar aire aunque sea contaminado y lleno de plomo.

A través de los ríos de gente, uno empieza a distinguir la ansiada salida y siente el incipiente pero necesitado aire.

Al subir las escaleras para salir a la calle, de nuevo una colección de mendigos de todas edades, tamaños y procedencias, empiezan a pedir limosna con sinceras caras de hambre.

Pero uno ya está hasta la madre, harto, cansado, mareado, sudado, sin monedas y lo único que se quiere es llegar a la oficina, sentarse, abrir las ventanas y desconectarse de todo este espeluznante carnaval grotesco, insufrible y cotidiano.

LOS GAYSITOS

Varios historiadores de renombre señalan enfáticamente en algunos de sus escritos, que las tres grandes agrupaciones humanas que han controlado el desarrollo de la Historia Universal son tres:

Los Judíos, los Masones y los Homosexuales.

Nada tan cierto y contundente.

Nuestra endeble, arribista y acomplejada sociedad mexicana, también produce en buenas cantidades estas clases de agrupaciones.

Particularizando en la última categoría, la de los homosexuales, es en verdad impresionante la gran cantidad de cuatrisexuales *(porque ya dejaron de ser bisexuales)* que pululan con efervescencia en prácticamente todos los ámbitos sociales.

Tan sólo hay que echar un somero vistazo a la prostituida y nauseabunda política que nos gobierna *(ahora en su tragicómica modalidad a la Big Brother con los Video Gate)*, a las fraudulentas e improvisadas finanzas que nos resquebrajan día a día, y a la todavía incipiente y mediocre cultura que nos separa de otros países en por lo menos 80 años.

En todos estos terrenos sociales surge, luce y brilla el homosexual, quien, pese a todas las agrias críticas de algunos sectores recalcitrantemente conservadores de nuestra sociedad heterogénea y racista, se desenvuelve como pez en el agua a través de sus gentiles y febriles maneras y emociones.

Ni qué decir de los deleznables medios de comunicación electrónica, en los cuales prácticamente es un requisito curricular ser joto, descarado y lambiscón.

Existe una nutrida parvada de afeminados acartonados y predecibles al frente de micrófonos y cámaras, escupiendo una espeluznante cantidad de estupideces y frivolidades inimaginables.

Ahora, estos grises y desalentadores personajes son los que nos dicen dónde vivir y de qué manera hacerlo; ellos son los que nos aconsejan cómo desarrollarnos en medio de una atmósfera próspera y reluciente; los que, a través de cada uno de los signos zodiacales, pretenden guiar nuestros inciertos destinos contradictorios y anhelantes.

Los que, a fin de cuentas, nos iluminan con su perfumada y aparente sabiduría inmarcesible, sobre cómo triunfar en la vida y ser alguien de provecho y bien nacido.

Estos muñecos de cristal cortado son lo suficientemente informados y poseen, por obra y gracia de su raquitismo psicológico, todas las herramientas imaginables para ser felices y prósperos, muy a la usanza gringa.

Porque ha de recalcarse que la nefasta influencia de nuestros vecinos del norte llega prácticamente a cualquier rincón de nuestro despersonalizado y maleable nacionalismo. También dentro de esta singular categoría existen básicamente dos clases primordiales para catalogar a esta abundante especie, la cual cada día cobra más terreno e incidencia sociales.

Aunque, claro está, existen demasiadas minucias e interacciones entre ambas categorías como para destacarlas siempre por separado y en su totalidad.

EL GAY

[que no el puto]

Este reluciente figurín pertenece a las clases sociales más adineradas de nuestra sociedad, y procede de familias de rancio abolengo y suprema alcurnia azteca.

Es exquisito, delicado, sensiblero, chantajista, informado, contradictorio, cursi y en general bien intencionado.

Según él mismo, es de nacos ser gandalla, ojete, transa, culero. Él, en cambio, es monísimo, lindo, tierno. Por ello, hay que portarse bien a cada momento, tal y como los cánones del buen vivir y del buen actuar nos dictan sin otro remedio aparente.

Está irremisiblemente relacionado con la cultura francesa, y parece ser un remedo tropicalizado del *"bonne vivant fin de siécle"*

Se siente todo un experto guormet por ir a comer y a lucirse a todos los restaurantes de cinco cubiertos de Polanco, Palmas, La Condesa y alguno que otro de Altavista. En estas vitrinas-peceras, podrá darle rienda suelta a su imagen y

179

excentricidades, y esperará con inusitado júbilo y expectación el fin de semana para lucirse coqueto y altanero entre las sórdidas instalaciones del antro de Polanco, y ver si pesca algo para pasar calientito por lo menos esa noche.

Asímismo se considera un enólogo experto, obsesionado con su tabla de cosechas recomendadas y buscando con frenesí la novedad vitivinícola a través del Internet, para departir con su novio en turno el preciado vino en su próxima cena de week end.

Impecablemente vestido *(Ferragamo, Boss, Gucci, Hermenegildo, Burberry, Prada)* semeja ser una gotita de agua translúcida y nítida. Cuando por azares de la vida decide hacer sus compras en su propio país, no deja de acudir puntualmente al Pasaje Parían, en la afrancesada zona de Álvaro Obregón, para adquirir las cotizadas prendas del célebre modista-feudal, quien acapara esta zona de nuestra ciudad.

Su manicure y pedicure son envidia de las propias mujeres quienes no alcanzan a desarrollar tanta delicadeza en su cuidado personal.

Muy seguido se rapa su tierna y reducida cabecita —*toda una tradición gay europeizada desde hace varios siglos*— para resultar más pulcro y acicalado.

Siempre utiliza los mejores aditamentos para facilitarse la vida diaria como el llaverito Tiffany, la plumita fuente Mont Blanc, el encendedor Dupond, la carterita Cartier, el juego de mancuernillas Scappino, y el celular más pequeñito, luminoso y *avant-garde* que puede encontrarse en este tercermundista país en el que todavía decide seguir viviendo.

También resulta ser un formidable chef, y puede enfrascarse en cenas exóticas que le recuerdan su más reciente viaje al lejano Oriente.

Ah, sí, porque ella, perdón, él, está al tanto de las modas en el buen vestir y en el buen comer, a través de sus revistas especializadas, programas especiales, y toda aquella información que le llega vía mail de todos los rincones más selectos del mundo entero, a los cuales él, por derecho propio, pertenece desde antes de nacer.

Ya que todo lo que esté fuera de su acartonado y snob script existencial, le resulta burdo, grotesco y vulgar.

Y como él, ingenuo y soñador expresa *(porque nunca deja de ser un niño chiquiado y caprichudito)* de una infinita flojera.

Vive en lugares espléndidamente decorados por varoncitos con las mismas tendencias sexuales y posee un notable gusto para combinar muebles, tapices, cuadros, floreros, tapetes, cortinas y todo aquello que conforma un hábitat estético, cordial y de ensueño.

Uno de sus máximos ideales es que su depa de Polanco, la Condesa o Palmas, salga en alguna de las portadas de las revistas de arquitectura y decoración de nuestro insigne país.

Con esto logrará, según él, adquirir un orgullo y reconocimiento insospechados.

Por lo regular acude a gimnasios *high fi*, más que para hacer ejercicio con sus pants entallados y en colores pasteles,

181

para ver a los escasos heterosexuales e imaginarse poner en práctica con estos los pasajes más atrevidos del Kamasutra.

Es todo un deleite ver a estos muñecos esforzándose por sudar y hacer ejercicios bruscos para su impoluta delicadeza congénita o adquirida.

Son, en esencia, maravillosos conversadores y tienen tema de plática para cualquier ocurrencia posible.

Prueba fehaciente de ello, el que varios estén en esos aberrantes programas televisivos de chismes, morbo y crítica insana con los mejores *raitings*, y ganando carretadas de dinero.

Por propia naturaleza, son mucho más punzantes, tendenciosos y morbosos que sus cuasi semejantes femeninas.

Viven del comentario adulador y descalificador, y tratan de enterarse, por cualquier medio posible, de todo lo que acontece a su alrededor. Tienen decenas de amigas *(aunque más bien son conocidas)* fresas, divorciadas, separadas, solteronas, a las cuales confían sus más íntimos y obscuros traumas existenciales.

Como amigos son incondicionales, aunque también muy demandantes y encimosos, y piensan que toda la gente que los frecuenta y adula, debe tener siempre el tiempo y la disposición para escucharles sus arrebatados y lamentables bocetos de dramas griegos.

Estas impecables figuritas de yadró siempre están dispuestas a viajar a lugares exóticos y estrambóticos.

182

Tienen, por curioso que pueda resultar, algunos dejos de exploradores ingleses victorianos y son felices cuando regresan de sus largos viajes con varios souvenires, bronceaditos, y llenos de una maravillosa energía contagiosa que hay que compartir inmediatamente en el restaurante de moda.

En el Amor son un rotundo fiasco y andan dando tropezones emocionales a cada momento, que lo único que propician en ellos es ahondar aún más su ya de por sí profunda confusión y soledad existenciales.

Son esencialmente amantes de la buena vida porque pueden permitírselo de manera sencilla, ya que ocupan puestos ejecutivos altamente remunerados y no tienen a quien gastarle un centavo.

Carecen de familia —*aunque nunca de los nuncas dejan de frecuentar a su adorada y odiada Mami para contarle todas sus desenfrenadas cuitas*— y no tienen pareja fija por mucho tiempo.

Son inestables por naturaleza.

Tampoco tienen hijos ni compromisos fuertes y por ello todos los ingresos que generan se los gastan en su propia persona y en sus incontrolables caprichos desmedidos de adolescente calenturiento. De ahí su fortalecida capacidad de ahorro y acumulación de bienes materiales.

De ahí el carrito europeo deportivo de preferencia Volvo, BMW o Jaguar.

Nunca un auto gringo, eso es de nacos.

183

Pero con todo y este escenario de oropel reluciente, al término de cada día les abruma, eso sí, un pertinaz sentimiento de soledad, y por ello pueden entrar en verdaderas crisis emocionales, las cuales alcanzan a durar semanas enteras entre edredones y almohadones con estampados florales.

Ni siquiera su psiquiatra, bruja, chamán, consejero, confidente, curador pránico, amiga incondicional, podrán lograr salvar ese abismal sentimiento de orfandad y de no pertenencia con nada ni nadie.

Pero el tiempo lo cura todo.

Bueno, eso dicen...

Como aplicados y responsables estudiantes que fueron en su juventud, poseen un sentido de la realidad demasiado agudo y por lo mismo angustioso.

Pero nada importa, nada, ya que hay que seguir impresionando, aparentemente disfrutando y socavando esa intrínseca y recurrente tristeza con la cual llegan a cohabitar a lo largo de toda su vida.

Ya vendrán la vejez y sus ineludibles heraldos obscuros a través de achaques, dolencias y enfermedades.

Ya habrá que sortear la vida con una enfermera y una servidumbre altamente eficiente, servicial y de tiempo completo.

Repleto de fotografías de recuerdos debidamente enmarcadas en plata, las vivencias sólo serán lejanas añoranzas ahora ya inofensivas y pueriles. simplemente formarán parte del ineludible devenir diario que a todos, desde nuestra particular

184

circunstancia y escenografía, nos toca vivir como mejor podemos.

Ya que queramos o no aceptarlo, es la vida con sus cierres de círculos existenciales incesantes y furiosos.

Es la vida que no perdona, que no le importa nadie.

Nada.

Ni siquiera estas delicadas criaturas atormentadas por sus propios infiernos creados por debajo de un mundo de fantasía y brillo, lustre y seda; funesta fanfarria reprimida.

Au- revoir a todo, a la ilusión, al deseo frustrado, al irrecuperable tiempo.

Adiós a la manera *(también gay)* del espléndido escritor francés Marcel Proust, quien como nadie retrató la vida de estos solitarios y turbulentos personajes anónimos.

La vida se irá irremisiblemente.

Quedarán, tan sólo, varios objetos costosos y de marca como insignificante constancia del querido tío solterón ausente y frecuentemente recordado.

Au-revoir; cet la vie.

EL PUTO

[que no el gay]

Este desafortunado personaje tiene muchas similitudes con el yuppie naco. Su más rotunda y nefasta carga existencial, es su pobre y limitada cuna y los familiares que la conforman.

Este muñeco aspirará con fervor a ser, a lo mucho, un mediocre bailarín de programas musicales, algún actor segundón de reparto, modelo de prendas más o menos reconocidas, un anónimo y enclaustrado chef, o el maquillista y estilista estrella de algún estúpido programa cómico televisivo.

Es, con notoriedad, más burdo y limitado que el gay, posee menos estudios académicos y de toda índole, casi ningún viaje más allá de Nogales o Acapulco, de *gourmet* no tiene la más mínima idea, ya que por cuestiones económicas es un experto en fritangas en puestos de láminas, y pernocta donde puede acompañado de alguna chamaquita plagosa clase mediera confundida, quien desea compartir y descubrir con él, lo que significa la verdadera vida, la verdadera chinga existencial.

186

Lo chido —*opinan ellos*— de la soledad.

Sus reducidos y caóticos depas en la Narvarte, la Roma, Tacubaya y la Escandón, nunca le brindarán el orgullo que al gay tanto lo hace pavonearse entre sus semejantes adinerados.

Gracias a un esfuerzo desmedido, a buenas rachas en la chamba, y como una meta de gran heroicidad, logra vivir en algunos de los viejos y sombríos departamentos de la Condesa, lo cual le significan a él un inmenso orgullo y un fehaciente indicador de que está progresando notoriamente en su trayectoria profesional.

Lo mismo sucede con algunas de las innumerables fondas lujosas de esta colonia Condesa, en las cuales este personaje puede pedir sus remedos de comida italiana sofisticada por módicos precios, acompañados del vino bronco de la casa.

Boceto gringo anhelante y frustrado, también acude al gimnasio para ponerse musculosamente atractivo y lograr más papeles como bailarín y modelo.

Falto por completo del buen gusto en la decoración y en el vestir, vive en cuartuchos mal olientes, y se emociona cuando puede comprarse una camisa y un pantalón marca Guess, en las baratas de fin de año de alguna boutique en plena venta de liquidación por quiebra.

Casi nunca le falta la cadenita dorada sobre su delicada muñeca derecha, los anillos toscos y refulgentemente dorados, y un caminar lánguido, gentil y casi etéreo. Sus greñitas se las acomoda con gel, haciéndose una curiosa colita de pato coronada por varias puntas filosas.

187

También suele ponerse una arracada de pirata o bucanero, en alguna de sus tiernas orejitas.

En casos de verdadera aberración, se pone chispitas de diamantes en ambas orejas, que hacen resaltar los exquisitos rayos dorados de su limpio y abundante cabello.

No tiene *(no puede)* preferencias por ningún automóvil lujoso, y puede transportarse con dignidad estoica en taxis, combis, peceras, y hasta en nuestro pestilente medio de transporte El Metro.

Eso sí, está continuamente repleto de sueños e ilusiones cursis. Por ejemplo, poder destacar en su ámbito profesional y llegar a ser una figura tan reconocida y amada como nuestro idolatrado Guanga.

También tiene sinceros deseos de sacar de la miseria a sus familiares más cercanos y queridos, principalmente a sus padres, quienes le dieron la vida y todas las bendiciones necesarias para abrirse paso en la vida.

Su religiosa mami *(sobra decir que es Guadalupana)* entenderá y se resignará, con el pasar de los años, de las perturbadoras preferencias sexuales de su hijo, y abogará por él cuando se tenga que enfrentar a su brabucón, infiel y militarizado esposo.

Éste nunca podrá aceptar tener un hijo afeminado, y vivirá constantemente bajo el complejo, la pena y la honda decepción de haberle dado sus insignes apellidos.

Pero la costumbre todo lo puede.

188

Con el pasar de las penas, de las obligaciones y de la carga existencial diaria, al padre le importará un verdadero bledo la vida de su descarriado hijo, y a éste, el hijo, le valdrá absolutamente madres el que su fracasado y amargado padre no lo acepte.

Simplemente lo considerará como otro macho más decadente y burdo.

Existen similitudes impresionantes entre ambas categorías cuando se trata de amigas o conocidas al lado de estos endebles muñecos.

El puto también poseerá su reducido pero significativo séquito de escuinclas golfitas desubicadas, fresas histéricas y solteronas a punto de amargarse, quienes le aconsejarán cómo sortear las vicisitudes ineludibles de la vida diaria.

Sin mucho resultado aparente, ya que ellas mismas requieren a gritos asistencia psicológica para calmar sus recurrentes angustias y frustrados anhelos.

Pero la vida trae consigo ciertas compensaciones indiscutibles, ya que el cierre de la existencia de este personaje es muy similar al del gay.

Contemplándolo fríamente, con descaro, sin ningún pudor acartonado, lo único que cambia entre ambas categorías es el escenario; en lugar de edredones de pluma de ganso, cobijas de Chinconcuac con estampados de leones, en lugar de paté de ganso, una quesadilla de chicharrón prensado, en lugar de un vino *Chateauneuf du Pape*, una chela en lata bien fría, en lugar de un *pent-house* minimalista, un cuarto de servicio más o menos acondicionado, en lugar de manejar las finanzas en un corporativo transnacional, aspirar a calificar en la emisión en turno de algún programa musical para ser un cantante o bailarín famoso...

Pero muy en el fondo, insisto, en lo más íntimo de la carne y la emoción, ambos personajes comparten infiernos semejantes y punzantes.

La muerte, con su desaforada democracia impuesta, habrá de llevarse indistintamente a cualesquiera de los dos en un acto singularmente cotidiano y predecible.

Porque más allá del engaño simplón y escurridizo, la crudeza del perrazo de la vida, citando a César Vallejo, es implacable y nunca discrimina.

Au-revoir, adiós, *goodbye,* hasta la vista, *ciao,* ahí la vemos, como se guste.

El final siempre es el mismo. Siempre.

EL MARIHUANERO

No se podía dejar de contemplar a este también por demás kafkeano personaje quien, por cierto, sigue proliferándose en nuestra ciudad-capital.

Cada día se unen más marihuaneros para mantener con toda convicción posturas filosófico-existenciales más bien ancladas en los años sesenta y setenta, quienes, en su gran mayoría, y pese a este caduco y estereotipado discurso verbal y actitud de vida, son esencialmente tranquilos y concentrados en su propio *"rollo"* y *"desmadre"*.

Habrá que iniciar, por aparición y legendaria presencia, con la categoría de los marihuaneros sesenteros quienes son, por derecho propio, los iniciadores y maestros en la etiqueta.

Por lo general optimistas, y por momentos hasta idealistas, estos personajes transcurrieron sus estudios académicos en medio de *"tocadas"* en las explanadas o patios de los planteles en los que estudiaron *(ya sean escuelas de paga o de gobierno)* con sus guitarras acústicas haciendo las veces de trovadores medievales versión huasteca.

191

Por lo regular se juntaban de tres a cinco haraganes a cantar canciones de figuras idealizadas como las de Bob Dylan, Jim Morrison, Janis Joplin, Jimmy Hendrix, Donovan, Mark Bolan y otros más.

Y eran figuras musicales extranjeras, ya que el rock mexicano de ese tiempo era en verdad deleznable e insufrible *(salvo poquísimas excepciones no hay mucha diferencia con el actual).*

Estos músicos afamados significaban definidos ideales y formas de vida a seguir y el marihuanero venía a representar una verdadera mescolanza de actitudes, posturas e ideales.

Evidentemente tenía su muy particular manera de disfrazarse ante la aburguesada y caduca sociedad mercantilista e imperialista decadente;

Las ineludibles mezclillas roídas, los zapatos de goma (en ocasiones guaraches cuando el compromiso filosófico era mayor), camisas de manta y de jerga, sí como se oye, de jerga, el también imprescindible morral de jerga que hacía juego con la camisola-chal, las greñas intencionalmente descuidadas hasta los hombros *(era un síntoma de debilidad y amaneramiento el peinarse y estar acicalado),* algunas barbas-piochas muy a la Fu-manchú, la citada guitarra y alguna flauta de carrizo, algún libro de Karl Marx en el morral que nunca era abierto y consultado, collares de todo tipo, material y tamaño, arracadas, pulseras de diversos materiales, donas de tela para controlar en parte la rebelde colita de caballo, y lentes a la John Lennon aunque fueran sin graduación ni polarizado.

Todo esto en medio de un por demás particular meta lenguaje que las generaciones actuales preservan como un gesto sincero de respeto casi antropológico por sus fósiles-maestros-iniciadores-chamanes.

Expresiones tales como:

—*Pssssss qué onda ése..., Saca, no, Psss móchate un brazo valedor, "Psssss ando erizo mi buen, Esta mota está bien chida y regañona, Pssss conéctatelo, no, Este valedor se pasa de filo, Esta chavita se friqueó, No te debrayes compa, No te mal viajes mi buen, Aliviánate güey, Psssss esta onda está muy grueeesa, mi buen, más bien hay que votarnos a la chingada sino la leyenda viene y nos apaña con el jalón y nos guarda en el tambo, Psss esta mota está muy chida y me pone a toda madre, Psss este toque estuvo muy efe, Psss esta nalguita está muy fresa y no suelta ni madres, Vótate a la chingada valedor o te abarato, Pssss la vida es un perpetuo viaje expansivo que nos conecta con el Cosmos a través de ondas sensitivas que trascienden al polvo que nos conforma como entes evolutivos en busca de la neta máxima: Dios, Psss esta rola está muy lesbiana, Psss este grupo está muy gruessso y trae una propuesta musical bastante efe y picuda, Pssss el Morrison era un poeta muy clavado en su onda, Pssss sacatito pal conejo o qué, vamos a que maría nos salude, Psss este valedor está muy alucinado, ya se mal viajó, pssss este vato se quedó en un viaje, Psss qué onda, se va a armar ese pedo o no...* y muchas más que resulta un deleite escuchar a la par de ver a estos insignes fósiles existencialistas en medio de una disertación cartesiana en torno a la calidad y efectividad de la marihuana que se están fumando.

Todavía recuerdo como si hubiera sido ayer *(ya hace más de diez años del evento)* cuando llegó a la casa en la que yo vivía, un grupo de personajes en verdad maravillosos para celebrar no sé qué cosa.

Porque cuando uno quiere beber, bailar y darse un buen toque no hace falta ningún acontecimiento o efemérides que valga la pena como el simple placer de estar vivos y celebrando con amigos.

De pronto arribaron un gordo inmenso como Barry White *(también del mismo color)* con una botella de mezcal repleta de hojas de marihuana, dos señoritas de negro con unas enormes ojeras y el galán de una de ellas muy acicalado con un smoking absolutamente fuera del contexto de este grupo fellinesco.

Estábamos en el jardín, en un desayunador en el cual se puede escuchar música, bailar y demás. Se habían congregado, dentro de una sincera y espléndida casualidad, los marihuaneros más recalcitrantes de la cuadra *(toda colonia decente en el D.F. tiene los suyos como un valuarte de orgullo capitalino)*, además de algunos distinguidos invitados de Tepoztlán y Amatlán.

Con el pasar de los minutos, todos esperaban su turno para que el de junto sacara el guato, join, el toque, el gallo, el jalón, la mostaza...en fin, la mota.

Ahí estaban el ganso, el pashá, el julatto, el manfred y su cello, el grillo y su sax, el george, el isra, la lore, la oli, el barry, sus gorgonas y el tavo *(catrín)*.

194

El mismísimo Fellini hubiera dado amplio crédito y aplaudido las escenas que a lo largo de la noche se fueron dando.

El george fue a su casa y regresó con una bolsa de plástico y envuelta *(arropada)* entre periódicos, una mota rojiza-parda cola de ardilla que empezó a repartir en un enorme toque improvisado que forjó con una asombrosa rapidez y pericia.

El toque empezó a rolar en sentido y contra sentido de las manecillas del reloj.

¿A quién carajos le importaba en realidad el orden en ese momento?. A los quince minutos se empezó a querer hacer música.

Cualquier tipo de música. El que fuera.

Lo que fuera.

Mi querido Manfred estaba prendidísimo tocando con su arco el estuche de fibra de vidrio blanco de su cello como si estuviera interpretando alguna de las seis suites para cello solo de Johann Sebastian Bach; el grillo, por su parte, estudiante del Conservatorio Nacional de Música de saxofón, no había *(ni pudo en toda la noche)* producido un sonido claro y limpio con su babeada boquilla; el isra, el ganso y yo, formamos toda una sección de percusiones con bolsas de papitas, refrescos, charolas, aplausos, chiflidos, pisotadas, carcajadas y gritos; el barry, siempre académico y pretensioso, retó a la asistencia a que él era capaz de hacer música con cualquier objeto que le llevaran.

Presintiendo claramente lo que vendría, el ganso le llevó de inmediato un pedazo de manguera anaranjada para instalaciones eléctricas y nuestro grácil y grasoso figurín empezó a sacar sonidos que el mismo Stockhausen hubiera envidiado... una verdadera marranada de sonidos; parecían elefantes pariendo en medio de una diarrea cósmica.

Sin inmutarse por su rotundo y sonoro fracaso, y ante las carcajadas plenas y manifiestas de todos nosotros, el barry nos calló con brusquedad y nos dijo que ahora sí produciría música pura y bella.

Todos nos callamos y pusimos atención, bueno, la que podíamos poner.

Con lentitud sacó de su camisa de mangas cortas una especie de flauta del tamaño de un pisa corbatas, y como el pífano de Manet, empezó, según él, a tocar fragmentos de una sonata para flauta de Joseph Haydn.

Era una total maravilla ver lo grotesco de esa figura regordeta, amarihuanada hasta el hartazgo, queriendo interpretar a Haydn en ese ridículo instrumento fabricado por su propia alucinación pachequesca lacandona.

El resultado fue obvio: una estruendosa y conjunta carcajada que no le permitió proseguir con su académica interpretación del genio del período clásico musical vienés del siglo XIX.

Él también terminó riendo y continuamos haciendo ruidos hasta que nos volvió a callar para darnos una tesis doctoral *(como nunca la he escuchado con relación al tema aludido)* de cómo producir y cuidar uno mismo su mota.

Las enlutadas gorgonas que estaban a su lado parecían flotar de tanta mota que se habían metido; tenían los ojos semiabiertos, reían de pronto sin ninguna razón aparente, estaban agachadas como queriendo platicar con el suelo, y se balanceaban lenta, lentísimamente.

Julatto, por su parte, estaba muy entretenido enfrascado en una plática bizantina con el tronco de un árbol dándole razones para que por fin entendiera; george gradualmente formaba parte del tapiz de los muebles del jardín y se sumía cada vez más deseando, quizá, desaparecer a través de los cojines floreados; el pashá estaba horrorizado con los ojos muy abiertos enfrentando un auto análisis que el mismo sigmund Freud hubiera deseado en sus mejores ponencias vienesas, isra no cesaba en su intento de querer enaltecer la poliritmia africana con su maltrecha bolsa de papas fritas; el catrín, despreocupado en absoluto, estaba acostado sobre el pasto viendo todas las estrellas del universo, claro está, con los ojos perfectamente cerrados...

Pero todos tuvimos, por voluntad propia, que interrumpir nuestras actividades para poner atención al mensaje mesiánico del barry.

—*La pinche mota* —comenzó en un tono casi ceremonial— *es muy traicionera.*

—*Es culera, chueca, pero si la sabes tratar bien, es tu mejor amiga.*

—*Nunca te abandona ni traiciona. Eso sí, tienes que saberla manejar.*

—*Yo la tengo en el baño, en una maceta mediana y diario la regaño a la cabrona.*

—*Sí, hay que estresarla para que saque todos los alcaloides, que escurran, que babee la culera y la insulto, le miento su madre, la golpeo para que se porte bien y la culera me obedece...*

—*También de pronto la volteo y la dejo colgada para que escurra toda la melcocha... es todo un arte; no cualquier valedor produce la mota que tengo en casa...*

Como la inmortal película que protagonizara Peter Seelers, esa también fue una fiesta inolvidable.

Regresando a nuestra descripción categórica, dentro de estos marihuaneros sesenteros está el insufrible y acartonado intelectualoide quien odia abiertamente a todas las clases acomodadas, quien participó en el 2 de octubre del 68 y perdió a un familiar o a un brother cercano y se amargó la vida sin otro remedio, quien lee por pura pose todo lo relacionado sobre las corrientes filosóficas de izquierda *(Jean Paul Sartre, Simone de Beauvoir, Isaiah Berlin)*, tendencias económicas de izquierda *(Karl Marx, Frederich Engels, Vladimir Lenin, Mao Tsé-Tung)*, corrientes artísticas *(Diego Rivera, Frida Khalo, José Clemente Orozco, David Alfaro Siqueriros, Juan O´Gorman)*, los músicos *(Arnold Schöenberg, Igor Stravinsky, Silvestre Revueltas, Mario Lavista, Oscar Chávez, los Folkloristas)*, quien sigue viviendo en su descuidado —*porque según él vivir bien y con aseo es de burgueses decadentes*— departamento de interés social, inculcando a sus hijos (los que todavía se dejan y lo respetan) toda su frustración generacional caduca y oxidada que ya no soporta ni él mismo.

Uno de sus recurrentes escapes era justamente darse un toque de mota y olvidarse de tanta mierda regada por todas partes.

Pero él no puede confesarle a sus hijos —*menos a sus hijas*— que fue un marihuanero empedernido y que anduvo de desmadre tras desmadre, manifestaciones, huelgas, broncas, madrizas, que desvirginó cada vez que pudo, a niñas fresas a las que supuestamente tanto odiaba y a las que seducía y convencía con su mensaje de intelectual y revolucionario acartonado, que fue un borracho —*sigue siéndolo*— nada responsable de sus estudios y que se iba de parrandas con sus amigotes dizque a discutir problemas bien importantes y bien interesantes, bien comprometido con los compañeros, los camaradas...

No, no puede continuar con esa misma farsa intransigente y ridícula y tiene que seguir, aunque no por voluntad propia, más resignado, ablandado y participativo, con el ritmo que el nuevo milenio le presenta y depara a cada momento dentro de una ineludible praxis existencial.

El marihuanero de los años noventa es un poco diferente.

Además de la juventud que ello implica, sus conocimientos en torno a temas interesantes y su compromiso *(aunque fuera solamente temporal)* no existen.

Es más bien frívolo, valemadrista y hecha desmadre por el desmadre mismo. Su actitud contra los ricos es más bien indiferente ya que por momentos y circunstancias él mismo llega a pertenecer a estos niveles económicos en los cuales se maneja con manifiesta soltura e indiferencia.

199

Este personaje es más multifacético con relación a las drogas, y además de la casi análoga marihuana, él se mete todo tipo de drogas digitales *(cocaína, cocaína rainbow, tachas, éxtasis, crack, bote pateado, y una que otra ñoña).*

Claro está que este variado menú va en relación con el marihuanero en cuestión y su ineludible status económico, ya que como bien se sabe, sin dinero no hay buena droga.

Sería en verdad imposible poder destacar la gran cantidad de tipos de marihuaneros que existen hoy en día por todo lo largo y ancho de nuestro mustio país.

Destacaré, quizá, los más representativos.

El yuppie rico-fresa que prueba la mota de vez en cuando porque la considera muy apestosa y de nacos. Con esta, la mota, creará su nueva y más original campaña de publicidad, arriesgará el capital de un cliente incauto en la Bolsa, o simplemente se dará valor para tirarse a una de las sirvientas de la casa de sus papis.

Por momentos se siente muy gruesso, picudo y de una total vanguardia, pero cuando entra a su habitación y contempla sus cortinas con dibujos de carritos antiguos, su colcha que combine con ellas, los regalitos y peluches de sus noviecitas fresas y ridículas, su fotografía de la primera comunión, montando a caballo cuando tomaba sus clases en el Jockey Club, y algunos posters de sus estrellas deportivas predilectas, se siente, inevitablemente, con ganas de correr y conseguir un toque y tratar de zafarse de todo este escenario prefabricado de oropel y del enorme Complejo de Edipo que por momentos lo asfixia y avergüenza.

El clasemediero la prueba con más gusto y sin tanto tabú ni prejuicio, sólo para ocasiones que él considere realmente importantes como escuchar buena música con sus amigotes, ver una muy buena película con la novia o querida en cuestión, escalar alguna montaña y filosofar con los dioses de la colina, iniciar a su novia y/o esposa en este sutil y precolombino oficio, hacer alguna tarea muy trascendente que de seguro le dará una calificación ansiada, celebrar su graduación, su boda, el nacimiento de su primer hijo, su divorcio, un día soleado, un día con lluvia, estar simplemente vivo... y así por el estilo.

Será, bajo su particular filosofía y manera, un marihuanero constante y asiduo.

Un marihuanero existencialista.

El naco jodido la utiliza a cada momento a la par de algunas muñecas-ñoñas de flex, cemento y resistol.

En su patético caso, más allá de los efectos que la mota produce y de las alucinaciones y viajes que por lo general propicia, este pobre naco sólo trata de escapar de su aplastante e insoportable realidad diaria.

También, lamentablemente, la utiliza para asustar el hambre y evitar tener tantas tentaciones culinarias.

Él sabe que se está matando en cada inhalada, pero quizá también sepa que ya está virtualmente muerto en vida.

Al estridente son del tri, la maldita vecindad, Café Tacuba, Carlos Santana, Molotov, Control Machete y demás ídolos venerados sin mucho criterio musical, se consume a diario en un inframundo que ni el mismo Dostoyevsky hubiera imaginado en sus más atrevidas y sórdidas historias alucinantes decimonónicas.

El caso es que la mota seguirá siendo remedio para unos y escape para otros, por los siglos de los siglos...

EL POLÍTICO [PLUS]

Este sujeto representa, muy independiente de su sexo *(ya que en la actualidad en nuestro país las mujeres están adquiriendo cada vez una participación política, laboral y social más importante y representativa)* uno de los cánceres más dañinos que uno como ciudadano-víctima pueda padecer e imaginar.

Casi todos, y por regla, son inconmensurablemente corruptos, descarados, mentirosos, sobornables, rastreros, mitómanos, rateros, en fin; las palabras escasean cuando se tiene que definir a uno de estos grises y por demás nefastos personajes que tanto daño le han producido a nuestro ya harto país, y a nuestra actual sociedad supuestamente democrática.

Desde hace algunos años se está viviendo del sorprendente, rotundo y necesarísimo derrocamiento del partido que reinara en nuestra nación por más de 70 años ininterrumpidos: el PRI.

Milenario y casi mitológico eslabón de corrupción y fraudes que tanto cercenó a nuestro país en prácticamente todas sus actividades políticas diarias.

Creo que la sorpresa y felicidad de millones y millones de mexicanos no fue el hecho de que ganara el BOLILLO, sino que ya no viéramos y padeciéramos más las mismas jetas de los funcionarios políticos del repudiado tricolor.

Con este nuevo cambio no ha pasado *(ni pasará)* nada.

Pero no podemos negar que sonaba tentadora y fascinante la ingenua idea e ilusión de no volver a presenciar mentiras, abusos, fraudes, corrupción e insolencias de varios politiquillos de pacotilla quienes saquean nuestras arcas sin reposo ni medida.

Me da una infinita risa y tristeza hacer recuento de tanto descaro, de promesas no cumplidas, de cínicos engaños bajo una verborrea aberrante, decadente y nauseabunda.

Las mismas estúpidas frases manoseadas en cada sexenio.

Las mismas actitudes prepotentes de tipejos que carecen hasta de ortografía, pero que gracias al incondicional servilismo que muestran con el presidente en turno, hacen fortunas inimaginables en un país que tiene altísimos niveles de pobreza extrema *(más de 60 millones de personas).*

Nos queda a todos los mexicanos el arriesgado beneficio de la duda y de lo que este nuevo gobierno traerá consigo.

Para mí, nada, la misma porquería disfrazada de otra manera.

En fin, el tiempo lo está diciendo y constatando.

No existe cambio alguno.

Ninguna mejora, tranquilidad, certidumbre, crecimiento, desarrollo.

Por el contrario, el siniestro mundillo de la política mexicana se está convirtiendo en una especie de Big Brother en videos, chismes, descalificaciones vulgares y aberrantes, caza de brujas, servilismos con los vecinos del norte...

Lo que sí se puede mencionar en este mismo momento es un cierto patrón estereotipado del funcionario político mexicano, muy independiente de la filiación partidista a la que pertenezca infielmente: *(CUALQUIER PARTIDO POLITICO)*

Con abundante tristeza, el caso es casi el mismo porque no se trata de partidos, emblemas, propuestas y planes de gobierno.

Se trata, quizá, de un programa ineludible y hereditario que tenemos los mexicanos para el soborno, el robo, el chantaje, la corrupción, el valemadrismo, el cinismo, la mentira...

Una vez más, ah, mexicanos al grito...

Aunque también existen algunas categorías que hay que destacar y señalar para crear los pocos puntos de coincidencia entre todos ellos.

Comenzaremos por el Político Yuppie agringado, el pseudo neoliberal.

Por lo general, este sujeto terminó sus costosos estudios de postgrado en alguna universidad gringa *(ya que tiene a esta sociedad como su ideal de vida, es decir, acumular de manera compulsiva casas, ranchos, coches, yates, relojes de marca, amantes, jugar golf, coleccionar idioteces, etc.)*.

Muy raras veces realiza sus estudios en alguna universidad inglesa, francesa o alemana. Ese continente para él está viejo y casi muerto.

Lo que rifa, según él, son los yuppies gringos frívolos y excelentes proveedores de bienes materiales.

En lo académico no está tan mal como lo parece a través de su lenguaje y formalidad acartonada, aunque fuera de los estudios y conocimientos de su carrera y de la habilidad empírica sobre negocios y transacciones que le interesan y conviene para sus propios fines nebulosos, es en general una persona muy poco informada y nada instruida.

Más bien resulta ser un muy habilidoso recolector de información diversa para ir salvando sus diarios y en ocasiones improvisados discursos; los cuales, después de dichos eventos oficializados al máximo, la susodicha información se pierde irremisiblemente y nunca pudo él posicionar en su disperso pensamiento y conducta. La consigna es improvisar y salir del problema a cada instante de la mejor manera posible.

Salvar la situación, decir palabras bonitas, según él *(aunque en los últimos años se ha desarrollado en este medio político mexicano una verborrea oficializada en verdad ridícula y siniestra que no habla sino del grado evidente de falta de cultura de estos insignes personajes).*

Expresiones tales como:

—Concertar los mecanismos pertinentes para que esta situación coadyuve a una mejora que cristalice en beneficio de la ciudadanía..., Se requiere concertar los intereses democráticos que traigan consigo una participación ciudadana más plural e incluyente..., El señor presidente se pronunció a favor de erradicar el problema relacionado con el lavado de dinero..., La praxis política del país requiere más que nunca de caminos viables que propicien y generen el franco desarrollo a través de las instancias correspondientes que den cuenta de la problemática suscitada en días pasados, toda vez que las soluciones posibiliten las vías y los mecanismos pertinentes que a su vez se manifiesten en clara convergencia con lo estipulado por el Honorable Congreso de...

Es en realidad asombrosa y patética la serie de estupideces y mentiras diarias que escuchamos y leemos en nuestros medios de comunicación masiva electrónicos e impresos.

Más triste, aún, que estos sujetos por momentos se sientan verdaderos y dotados oradores portadores de la verdad *(su obscura verdad existencial)* a través de sus discursos estereotipados y del todo tautológicos.

Claro; En el reino de los ciegos el tuerto es rey.

Millones de personas ignorantes en nuestro México querido caen en la trampa de considerar interesantes, informados y bien intencionados a esta pandilla improvisada y decadente de ganapanes de corbata de seda. Algunos reporteros y periodistas tienen todavía el descaro o el atrevimiento de sacar imágenes de honorables funcionarios políticos como diputados y senadores hurgándose las narices, dormidos en plenas sesiones o chacoteando vilmente como si estuvieran en las cantinas a las cuales acuden con asombrosa frecuencia.

¿Sabrán en verdad estos personajes algo, por escaso que sea, de diplomacia, política, modales, imagen social, vamos, de las simples y elementales normas de educación?

¿Habrán leído, aunque sólo fuera por un sincero pensamiento mórbido o romántico, el tan sobado pero igualmente desconocido Manual de Carreño?.

Estoy seguro que no.

Estoy seguro que es, en su mayoría, gente oportunista (audaces, se llaman ellos mismos) que comenzó con puestos muy bajos, pero que a través de lambisconeadas incondicionales empezó a ascender estrepitosamente a través de los barrocos organigramas de las diversas dependencias de gobierno con todas sus intrínsecas contradicciones, errores y disfunciones.

Gente que no tiene parámetros de educación, tacto, elegancia, humildad y delicadeza.

¡Qué va! Gente que está en sus respectivos puestos y asignaciones por el simple y sencillo síndrome del dedazo, del poder, del humillar, del agredir, del amenazar, del presumir, del chantajear y claro está, verbo por excelencia, del transar.

¿Cuántos años más durará nuestro país soportando estos inconmensurables atracos a las cada vez más deterioradas y endeudadas arcas de la Nación?.

Sigamos.

Este político yuppie vive como maharajá y por supuesto, sólo en ciertos lugares donde la gente bonita mexicana y extranjera se congrega: Lomas de Chapultepec, Virreyes, Palmas, Interlomas, Tecamachalco, Polanco, Pedregal de San Angel, Santa Fe, Altavista, San Jerónimo, San Angel. Cotidianamente resulta ser un respetable vecino que no frecuenta a nadie y que resalta por su definida prepotencia y arrogancia, aunado al estado paranoico bajo el cual sobrevive diariamente acompañado de un nutrido grupo de patanes a sueldo que lo protegen y lo embisten de poder y autosuficiencia.

Hay de aquél que mire a alguno de estos gorilas analfabetos cuando van por las calles manejando como locos protegiendo a sus insignes patrones...

Cuidado con acercárseles con el auto porque pensarán que somos parte del peor de los cárteles de narcos, preparando una venganza sangrienta y mortal a la italiana contra su honorable y venerado jefe.

El político yuppie, por su parte, por lo general está despreocupado dentro de su camioneta blindada acariciándose con alguna querida, o leyendo con cierto orgullo, morbo e interés, los periódicos del día en los cuales se habla de él en no muy buenos términos.

A él nada de esto le importa. Las calles son suyas, la gente también le pertenece, los negocios... prácticamente todo es de su propiedad en medio de una vorágine existencial desmedida en la que vive lleno de desenfreno, hipocresía y corrupción.

Ahora bien, hay que destacar que este político yuppie es todo un dandy que viste a la moda siguiendo cualquier capricho que se le antoje, seda, lino, lana, algodón, en fin; todas las texturas, colores y diseños que su adolescente y retrógrada vanidad le sugieran.

Impecablemente perfumado y acicalado *(por lo menos en las mañanas cuando sale de su residencia)*, este sujeto es un voraz embarazador en potencia y no pierde la mínima oportunidad para seducir, chantajear y enamorar a casi cualquier mujer bonita y adinerada que se encuentre por su paso.

Tiene una cierta predilección por las casadas, muy en especial por todas aquellas que a su juicio están muy descuidadas y poco apreciadas por sus maridos cornudos.

Resulta evidente destacar que cada habitación de su mansión está llena de bellas y tiernas fotografías de él con toda su familia en ridículos marcos cursis *(fotos en grupo a la usanza del siglo XIX, él sentado, la señora a su lado y los críos en una postura asfixiante como si fueran una honorable familia victoriana)*, con las cuales disimula o distrae toda posibilidad de que su señora, o conocidos, imaginen siquiera que él, el exitoso y próspero funcionario nacional, engañe aún con el simple pensamiento a su adorada esposa.

Claro está que la distinguida señora en cuestión conoce gran parte de las innumerables fechorías de su marido garañón, pero no tiene otro remedio que aguantarse por la imagen social y el qué dirá la gente bonita. Todos en casa conocen muy bien la consigna introyectada desde el nacimiento: No pueden dejar de aparentar ser una bella familia mexicana decente, católica, siempre unida y fiel a la patria.

Para soportar esta farsante situación con estoicismo, es lógico pensar que también influyen en gran medida sobre la mártir esposa las camionetas último modelo que posee, el staff de cinco o seis sirvientas, jardineros, chofer, vigilante, los viajes a Europa y Oceanía y una colección de tarjetas de crédito gold y platinum, con las cuales sacia, por momentos, sus arrebatos histéricos y sus compulsivos deseos consumistas a la gringa.

El político yuppie también es un pintoresco personaje quien resulta un formidable camaleón que cambia de vestuario, lenguaje y actitud según la ocasión.

La flexibilidad es una de sus máximas existenciales.

Sinceramente sorprende la manera en la cual sale de un tema para improvisar otro con una sencillez y aparente facilidad en verdad envidiable. Él todo lo puede y lo sabe.

Muy seguido posee estudios o bibliotecas en sus residencias repletas de libros que no ha abierto y que sabe muy bien nunca abrirá.

Pero no importa, la consigna es aparentar y hacer creer a la gente que es una persona instruida, preocupada por el devenir de la nación y comprometida con su país y su familia.

Nada más alejado de la realidad.

Nada más absurdo y falso.

Nada más ridículo.

Resulta una verdadera delicia verlo levantarse en cualquier ocasión cuando escucha el "Himno Nacional Mexicano" *(en un acto patriotero más relacionado con un incauto niño de una escuela primaria de gobierno)* sin acordarse o preocuparle en lo más mínimo los millones y millones de pesos que se ha pepenado con el más asombroso descaro.

Todavía recuerdo con un sabor extraño en la garganta los esperados debates televisados que millones de mexicanos presenciamos para elegir candidato a la Presidencia en este enigmático año 2000...

Llevo todavía en la memoria, y estoy seguro que me acompañarán por el resto de mi vida, esos tristes debates políticos que nos remiten más a un mercado, a una vecindad, a un pleito callejero en un barrio bravo, que a los futuros, rectos, únicos, prometedores, justicieros, honrados, impolutos y bien intencionados políticos aztecas que desean cambiar nuestra desquiciada sociedad mexicana con promesas desmedidas, con alardes colosales y con esperanzas casi milagrosas.

También resulta encantador ver cómo este singular personaje cambia de partido político como de amante.

Después de hacerse millonario en tal o cual partido, reniega y vocifera de él como la peor y más penosa experiencia de su vida, y se vende sin titubeos a otra filiación política para seguir teniendo poder, presencia y claro está, carretadas de dinero fácil.

Se semejan un poco a los insignes y mediocres futbolistas mexicanos que cambian de camisetas de clubes con una tranquilidad que va acorde con la propuesta económica en cuestión.

Y quizá en el fondo, y para la gran mayoría de estos funcionarios la política sea sólo eso: un juego, una chamba, un sacar el chivo, hacerse rico y ser famoso.

El país está demasiado jodido y nadie lo va a salvar.

Nadie podrá en verdad hacerlo.

A nadie realmente la ha de importar un bledo lo que suceda en los próximos años cada vez más inciertos e inestables.

Ante esta desoladora situación, hay que hacer lo que se pueda, transar lo que se pueda, mentir lo que se pueda... *"hay que llevársela bien en esta vida porque si no es uno el que se sirve con ambas manos, será el otro que viene detrás de nosotros, y de que se lo chingue el otro a que me lo chingue yo..."*

Ah, qué magnífico comensal resulta ser este político.

Qué agasajos, qué festines, qué derroche, qué exuberancia...

Y también qué manera de beber, de fumar, de departir con los amigotes, las queridas, los lambiscones, las putas y los oportunistas, copas y drogas sofisticadas.

Por momentos me recuerdan a la Roma Imperial sólo que en versión de barro.

213

Con el pasar de los años y de los sexenios, se vuelve, según él y sus familiares, en un honorable *"Don"* que hizo mucho bien a la patria, por lo cual debe ser recordado por sus hazañas casi caballerescas.

En un arrebato de cinismo y vanidad, llega a publicar sus memorias como si fuese un distinguido personaje inmortal de la historia no sólo nacional sino universal.

Como premio, ponen su nombre en alguna calle o colonia conurbada sin banquetas ni asfalto.

En fin; casi todo se vale en nuestro México lindo y querido.

El político clasemediero y pobretón resulta, en muchas consideraciones y actitudes, muy desapegado y diferente con relación al político yuppie.

En el principio de su trayectoria académica *(secundaria, preparatoria y profesional)* guardó sinceros deseos de cambiar al país con acciones bien intencionadas, inocentes y simplonas. Pero una vez que prueba el poder, el dinero fácil y las constantes mentiras, se convierte en un ávido esclavo del Sistema y de todo lo que éste le exige a diario.

Pareciera que ya no existen su familia, sus amigos, su proyecto de vida.

Lo único valioso y por lo cual sacrifica toda su vida, es el Sistema que le posibilita ir creciendo en poder y en bienes materiales en medio de una contradicción existencial por demás caótica que con el pasar de los años se agudiza.

De sus nobles y bien intencionados ideales que le heredaran sus abuelos provincianos, no queda sino un mórbido y constante deseo de sobresalir a toda costa y precio para sentirse importante, poderoso y envidiable.

Académicamente es todavía más limitado que el político yuppie quien por lo menos tuvo la oportunidad de ir a pasearse por el extranjero.

En cambio, el político clasemediero pobretón, estudió con mucho esfuerzo su carrera técnica por las tardes y las noches, mientras en el día trabajaba para costearse sus estudios y mantener a su numerosa familia.

De lo anterior que pierda toda la medida y la proporción con respecto al dinero cuando lo tiene a través de fines no precisamente claros y honestos.

Nuestro querido político clasemediero pobretón es en general un excelente comensal *(garnachero, taquero, tamalero, tortero)*, borracho por excelencia, viejero inagotable, asiduo cabaretero, mojigato y religioso, inmensamente contradictorio, ferviente macho, definido patán, soberbio, notoriamente inculto, lambiscón y astuto oportunista.

Consagrado por completo a su chamba *(porque él chambea)* y a sus ímpetus desmedidos, tiene dos o tres señoras de planta a las cuales les hace sendos hijos a quienes educa bajo su deteriorada filosofía y a quienes, de paso, aconseja ser *"muy cabrones"* desde edad temprana.

Él se considera un caso ejemplar a seguir y todo un hombre exitoso y próspero lleno de gratificaciones existenciales de toda índole.

215

Con los años y la poca conciencia que desarrolla con el pasar de la vida, se dará cuenta ya muy tarde de la enorme mentira en la que vivió aparentemente feliz y realizado.

Se decepcionará de su Sistema caduco y corrupto y tratará, de manera inútil, de moralizar a toda su ya infecta prole.

Los últimos años de este personaje pueden transcurrir llenos de cargos de conciencia y arrepentimiento, ya que como nos lo comprueba día a día la Psicología Contemporánea, resulta muy, pero muy difícil erradicar conductas y pensamientos introyectados desde la infancia.

En fin, quizá llegue a pensar él mismo que valió la pena tanta transa, amantes, lambisconeadas, borracheras, tragaderas y desenfrenados desmadres.

Tal vez, de igual suerte, este país no sea tan importante como uno supone.

Quizás.

En fin...

216

YA CON ESTA ME DESPIDO
[Epílogo]

Al término de todas estas páginas, quizá más de un lector se pregunte un tanto desolado y confundido si tiene sentido seguir viviendo en un país como éste; folklórico, desorganizado, improvisado, flojo, inmaduro, corrupto, mojigato...

Creo que sí vale todavía la pena.

Considero, también, que existen suficientes personas decentes y bien intencionadas. Personas que desean cambiar su actitud y estar orgullosas de sus orígenes sin ese exacerbado y machista nacionalismo patriotero estilo mariachi y tequila, sin ese culto fanático alienante por las televisoras nacionales y sus nefastos y frívolos programas con figurillas estelares de papel maché, sin esa idolatría dominguera por el futbol y sus deslucidas estrellas, sin esa fe medieval embrutecedora hacia algunos santos, vírgenes y patronos, sin esa recurrente postura de pensar que todo se arreglará por obra y gracia del Señor, sin esa cobardía manifiesta ante

217

abusos, corrupciones, prepotencias e injusticias continuas... vamos, sin todo esto, que, justa y paradójicamente, tanto nos caracteriza como pueblo y nación.

Constantemente andamos en busca de pretextos de toda índole para justificarnos y para pretender cambiar e iniciar proyectos necesarios rebosantes de esperanza.

El Tercer Milenio es un buen pretexto para cambiar.

Esperemos sinceramente una transformación general positiva para hacer de este todavía maravilloso territorio que nos tocó ocupar, un lugar más cordial, organizado y productivo. No se piense en ningún momento que aquí se esgrime una utopía sociológica o un sueño religioso etéreo y milagroso.

Tampoco, bajo ninguna circunstancia, que este capítulo final del libro implica un oficializado mensaje político de pacotilla, lambiscón, tendencioso y tautológico. No. Por ningún motivo.

Tan sólo estoy seguro y convencido, como quizá también usted lo está, que es el sincero deseo de todavía muchos mexicanos que seguimos padeciendo y gozando *(porque este desfile de carnaval es inmensamente contradictorio y ambivalente)* de cada uno de los elementos, circunstancias y características que conforman a nuestra nación. Venga pues, una vez más, el beneficio de la duda. El confort momentáneo y transitorio del deseo bien intencionado que nos redima de una vez por todas.

La ilusión del sentido común y la decencia. Acuda, sin más, nuestra consabida frase inicial que tanto repetimos y entonamos y que quizá todavía no entendemos en su intrínseca importancia y moraleja:

¡ Mexicanos al grito de güeva...!

México, D.F. Tlalpan, 1998-2006.

INDICE

Prólogo 7

Introducción 9

El Burócrata 13

La Burócrata 23

Lema por excelencia 29

La templanza, hospitalidad y honradez mexicanas 31

Las suegras 39

La suegra adinerada 40

La suegra clasemediera 49

La suegra pobre 55

Los suegros 61

El suegro militar castrante 61

El suegro bonachón 67

El albañil 72

El policía 76

El funcionario público *(plus)* 88

El yuppie yuppie 92

La yuppie fresa 100

El yuppie naco 111

El universitario naco.. 120

El taxista... 126

Nuestras televisoras.. 134

Nuestros ilustres intelectuales.. 143

Funcionarios y artistas musicales *(cultos)*......................... 150

Nuestros insignes directores de orquesta............................ 155

¡Bajan!... 161

El metro... 169

Los gaysitos.. 176

El gay.. 179

El puto... 186

El marihuanero.. 191

El político *(plus)*.. 203

Ya con esta me despido *(epílogo)*....................................... 217